AUF EIGENEN FÜßEN!

Für junge Leute zum Berufsanfang

Edited by George Winkler
Margrit Meinel Diehl

HBJ Harcourt Brace Jovanovich, Publishers

Orlando   New York   Chicago   San Diego   Atlanta   Dallas

PHOTO CREDITS _____

All photos by George Winkler / HBJ Photo except: Pages 11, 12, 13, 102, 103
(left and lower right), 123 (center left), 128 German Information Center; 124,
125 George Winkler.

ART CREDIT_____
Pages 51, 52, 56 by Ruth Soffer

Printed in the United States of America

ISBN 0-15-383758-6

Introduction

Auf eigenen Füssen! is a reader for students who want to acquire a simple business vocabulary and become familiar with some of the ways of the German business world. This reader is ideal for you if you intend to spend an extended period of time in a German-speaking country, for it contains useful information on how to get settled and how to cope with everyday life there. You learn where to look and apply for a job, how to write a résumé as well as a job application, and how to conduct yourself at the first job interview. You learn about the skills needed when working in a German office. In addition you find out how and where to look for a room, open a bank account, and what to look out for when shopping for the things you need.

The situations presented are very general, the vocabulary practical and useful—a vocabulary that Germans use in conducting their daily affairs. The vocabulary lists, phrases, questions and discussion questions **(Wortschatz und Redewendungen)** at the end of each chapter give you additional practice in acquiring confidence and ability to communicate with German-speaking people.

Each chapter has its own vocabulary, and it is not necessary to read the chapters in sequence. Each chapter should be read first without referring to the vocabulary. If you have difficulty understanding the text, go through the chapter vocabulary first or look up the words you do not know in the German–English Vocabulary at the end of the book.

After reading a chapter, you should answer questions, create brief dialogs using the phrases given, and participate in class discussion based on the discussion questions. Most practice should be done orally first, then some questions can be done in writing. In some chapters you are asked to work on little projects **(Aufgaben)** which may require some research and preparation. This can be done individually or as a group project.

Throughout the book there is a large amount of extra material which illustrates and often expands the themes presented in the text—ads, forms, documents, tables, posters, signs, etc. This is all real material collected by the author while in Germany taking pictures, gathering information, visiting offices, banks, and various governmental agencies, and interviewing many different people for this reader. This "realia" can be used as the basis for class discussion and for class projects.

We hope that you will enjoy this reader. Even if you do not plan to go abroad, you are sure to find the information interesting and useful, especially if you ever have the opportunity to work for a German company in this country. But if you do go abroad and want to stay a little longer, this reader will prove to be a handy and useful companion!

Inhalt

Introduction

Andrea Krueger, Studentin der Betriebswirtschaft° | 1

Andrea Krueger, eine junge Amerikanerin, studiert Betriebswirt-
schaft an der Universität in München. Die Ludwig-Maximilians-
Universität ist mit ihren 45 000 Studenten[1] die grösste Universität
in der Bundesrepublik.

Andrea hat München als Studienplatz gewählt, weil ihr Gross-
vater vor vielen Jahren dort studiert hat. Ausserdem hat sie so viele
gute Dinge über München gehört und gelesen, dass ihr Entschluss°
immer fester° wurde, eine Zeitlang selbst dort zu studieren.

die Betriebswirtschaft *business management* der Entschluss *decision;* fest *firm*

---

[1] In 1982 there were 44,551 students enrolled at this university, an additional 17,993 at the Technical University **(Technische
Hochschule),** and thousands of others at the various institutions of higher learning for a total of 78,244 students in the city
of Munich. There are about 1.12 million students in the Federal Republic who study at universities or other institutions of
higher learning. The student body is divided between 62% male students and 38% female students. 5.5% of all students are
foreigners. The most popular subjects in 1981 were: engineering (26%), business and social sciences, including law (20%),
language and philosophy (15%), math and natural sciences (13%).

Wie Tausende von Studenten, so wohnt auch Andrea in der Studentenstadt in Freimann, einem nördlichen Stadtteil von München. Diese Kleinstadt für Studenten wurde in den sechziger Jahren gebaut. Sie besteht aus über zwanzig Gebäuden, manche bis zu zwölf Stockwerke hoch. Die Studentenstadt verdankt° ihre Entstehung° der Initiative eines ehemaligen Rektors der Universität, Professor Dr. Egon Wiberg.

DIE STUDENTENSTADT FREIMANN VERDANKT IHRE ENTSTEHUNG DER INITIATIVE DES REKTORS DER LUDWIG-MAXIMILIANS UNIVERSITÄT 1957/58 PROF. DR. EGON WIBERG ✳ 3.6.1901 † 24.11.1976

Haus I • Grasmeier Str. 25 • Max Kade Haus
• Grasmeier Str. 23 • Saalbau MKH
Haus IIa • Grasmeier Str. 19 • Friedrich Deckel Haus
Haus IIb • Grasmeier Str. 21 Ernst von Siemens Haus

Studenten orientieren sich

---

verdanken *to owe to;* die Entstehung *development*

Andrea hat ein Einzelzimmer im sogenannten Friedrich Deckel Haus in der Grasmeier Strasse 19. Sie zahlt für ihr Zimmer 180 Mark Miete im Monat.

Die Studentenstadt ist sehr attraktiv gelegen, mit der U-Bahn (U 6) knappe zehn Minuten von der Universität entfernt. Es besteht auch die Möglichkeit, entweder mit der S-Bahn oder mit dem Bus von der gleichen Haltestelle aus in die Stadt zu fahren.

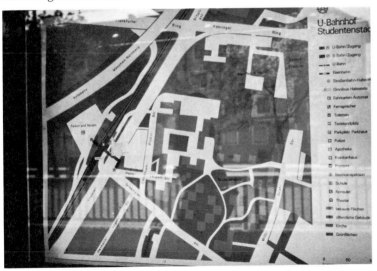

Dieser Plan zeigt das grosse Gelände der Studentenstadt.

Parken und Reisen: Grosse Hinweisschilder laden die Autofahrer ein, hier am Stadtrand ihre Autos auf den Parkplätzen kostenlos zu parken und mit der U-Bahn in die Stadt zu fahren.

WORTSCHATZ UND REDEWENDUNGEN

die Betriebswirtschaft *business management*
das Einzelzimmer, - *single room*
der Entschluss, ̈-e *decision*
die Entstehung *development*

das Gebäude, - *building*
die Initiative, -n *initiative*
die Miete, -n *rent*
der Professor, -en *professor*

der Rektor, -en *president (of a university)*
die Studentin, -nen *woman student*
die Universität, -en *university*

bestehen aus (a, a) *to consist of*
studieren an A *to study at (a university)*
verdanken D *to owe to*

gelegen sein *to be situated*

attraktiv *attractive(ly)*
ehemalig *former*

fest *firm*
knapp *barely*

ausserdem *besides*
eine Zeitlang *for a while*
entweder . . . oder *either . . . or*
es besteht die Möglichkeit *it is possible to*
180 Mark im Monat *180 marks a month*
in den sechziger Jahren *in the sixties*
von (der Haltestelle) aus *from (the bus stop)*

- **Was studieren Sie? — Ich studiere . . .**
  What are you majoring in? — I'm majoring in . . .
- **Wo haben Sie studiert? — An der Uni in . . .**
  Where did you go to school? — At the university of . . .
- **Wohnt Andrea privat? — Nein, in der Studentenstadt.**
  Does Andrea have her own place? — No, she lives in student housing.
- **Sie hat dort ein Einzelzimmer und zahlt 180 Mark im Monat.**
  She has a single room and pays 180 Marks a month.
- **Warum sind Sie in die Studentenstadt gezogen?**
  Why did you move to the student dorm?
- **Sie ist günstig gelegen und nur 10 Minuten von der Uni entfernt.**
  It's in a good location and is only 10 minutes away from the university.

Fragen zum Inhalt

1. Wer ist Andrea Krueger?
2. Warum studiert sie in München?
3. Wo wohnt Andrea?
4. Was haben Sie alles über die Studentenstadt gelesen?
5. In welcher Strasse wohnt Andrea?
6. Wie kommen die Studenten von der Studentenstadt zur Universität?

Fragen zum Überlegen und Diskutieren

1. Würden Sie auch gern einmal in einem anderen Land arbeiten oder studieren? Begründen Sie Ihre Antwort!
2. Würden Sie als Student lieber privat wohnen oder in einem Studentenheim, ähnlich wie Andrea, wo man mit vielen anderen Studenten zusammen ist?
3. Was halten Sie von grossen P + R Parkplätzen an Stadträndern? Kennen Sie solche Parkplätze in Ihrer Gegend?
4. Sehen Sie sich den Plan des Geländes der Studentenstadt an und sprechen Sie über jede der einzelnen Institutionen, die auf der rechten Seite des Planes aufgelistet sind!
5. Sehen Sie sich den Wegweiser der Universität an, und unterhalten Sie sich — soweit möglich — über die einzelnen Referate! Warum glauben Sie z.B., dass Andrea ins Referat 7 gehen will, das sich im Erdgeschoss, auf Zimmer 137 befindet?

Andrea sucht einen Job | **2**

Andrea hat sich im letzten Jahr an der Uni etwas schwergetan°: sie musste feststellen°, dass ihr doch gewisse Vorkenntnisse° fehlen, die die einheimischen° Kollegen von Haus aus° besitzen. Auch ist ihr Deutsch doch nicht so gut, wie sie geglaubt hatte, obwohl sie ihr Zertifikat Deutsch[1] mit „Sehr gut" bestanden hat. Andrea hat deshalb beschlossen°, mit dem Studium ein Jahr auszusetzen°, um durch Lesen die Kenntnisse auf ihrem Fachgebiet° zu verbessern, ihr Deutsch zu festigen° und sich durch Arbeit praktische Erfahrung im Berufsleben zu schaffen°.

---

s. schwertun *to have a hard time;* feststellen *to realize, conclude;* die Vorkenntnisse *basic knowledge;* einheimisch *native;* von Haus aus *already from their early education;* beschliessen *to decide;* aussetzen *to interrupt;* das Fachgebiet *area of specialization;* festigen *to improve;* Erfahrung schaffen *to gain experience*

---

[1] The **Zertifikat Deutsch als Fremdsprache (ZDaF)** is an examination that tests proficiency in the German language. The rigid quality standards of this exam account for the high professional respect the Certificate enjoys in business and industry as proof of well-developed communicative skills in basic German. The Certificate is a prerequisite for admission to many German universities.

Das Angebot° an Arbeitsstellen ist—trotz° der wirtschaftlichen° Krise—verhältnismässig gross, und es sollte nicht zu schwer sein, eine passende Arbeit zu finden. Ihr grösstes Problem ist ja gelöst: sie hat ihre Arbeitserlaubnis°[2] in der Tasche. Jetzt fragt es sich nur noch, wie sie am besten an einen Posten rankommen° kann.

Das Schwarze Brett in der Uni

Am Schwarzen Brett in der Uni werden viele Stellen angeboten, doch sind die meisten nur für kurzfristige° Arbeiten. Hier ist, was Andrea gesehen hat:

Da gibt es besonders viele Ferienjobs als Bedienung°, Taxifahrer, Hilfsarbeiter, Zeitungsausträger, Plakatankleber°, usw. Der Andrea gefällt alles nicht so gut; aber da gibt es ja noch andere Möglichkeiten, einen guten Job zu finden.

das Angebot *offer;* trotz *in spite of;* wirtschaftlich *economic;* die Arbeitserlaubnis *work permit;* rankommen an *to get, acquire;* kurzfristig *temporary;* die Bedienung *waiter/waitress;* der Plakatankleber *poster hanger*

---

[2] Americans staying in the FRG for longer than three months need a residence permit **(Aufenthaltserlaubnis).** Even if you get this permit in the USA, you are still required to register with the registration office **(Einwohnermeldeamt)** after you have established residency. If you are seeking work you need to obtain a work permit **(Arbeitserlaubnis).** This permit is issued by the employment office **(Arbeitsamt).** Permits are issued for twelve months and can be renewed, depending upon circumstances. Getting a job in Germany used to be relatively easy in the 60's and 70's. It has become harder to find jobs now because of high unemployment.

ADIA hat attraktive Jobs für Studentinnen und Studenten mit Beruf:

Dreher/Fräser
Elektriker
Staplerfahrer
Feinmechaniker
Schlosser/Schweißer
Fahrer Kl. II/III
technische Zeichner/
Konstrukteure
Werkzeugmacher
Sowie Fachhelfer und Hilfskräfte

Fernschreiberinnen mit guten
Schreibmaschinen-Kenntnissen
Schreibkräfte/Bürohilfen
Telefonistinnen
EDV-erfahrene Studentinnen
und Studenten
Phono/Stenotypistinnen
m.u.o. Fremdsprachen
Sekretärinnen m.u.o.
Fremdsprachen

In diesen und vielen weiteren Berufen können Sie bei uns arbeiten. Rufen Sie uns bitte an oder kommen Sie vorbei. Wir haben immer interessante Angebote für Sie.

WORTSCHATZ UND REDEWENDUNGEN

das Angebot, -e *offer*
die Arbeitserlaubnis *work permit*
die Arbeitsstelle, -n *job*
die Bedienung *waiter/waitress*
das Berufsleben *business world*
das Fachgebiet, -e *area of specialization*

die Kenntnisse (pl) *knowledge*
die Krise, Krisen *crisis*
der Plakatankleber, - *a person who pastes advertising posters on billboards*
der Posten, - *position, job*
das Schwarze Brett *bulletin board*

die **Stelle**, -n *place, spot (job)*
die **Uni**, -s *short for* Universität
die **Vorkenntnisse** (pl) *basic knowledge*
der **Zeitungsausträger**, - *newspaper deliverer*

beschliessen *to decide*
festigen *to improve, to firm up*
feststellen *to realize, conclude*
s. schwertun A *to have a hard time (doing s.th.)*

ein Problem lösen *to solve a problem*
s. Erfahrung schaffen *to gain practical experience*
es fragt sich *it is a question of*

mit dem Studium aussetzen *to interrupt one's studies*
rankommen an A *to get, acquire*

einheimisch *native*
gewiss- *certain*
kurzfristig *temporary*
passend *suitable*
praktisch *practical*
wirtschaftlich *economic*

verhältnismässig *relatively*
von Haus aus *already from their early education*

- **Hast du dich mit dem Studium schwergetan?**
  Did you have a hard time with your studies?
- **Ich habe festgestellt, dass mir gewisse Vorkenntnisse fehlen.**
  I realized that I lack a certain basic knowledge.
- **Warum haben Sie mit dem Studium ausgesetzt?**
  Why did you interrupt your studies?
- **Ich möchte mir praktische Erfahrung schaffen.**
  I'd like to gain practical experience.
- **Ist es schwer, eine passende Stelle zu finden?**
  Is it hard to find a suitable position?
- **Ich glaube, dass ich an einen Posten rankommen kann.**
  I think that I can get a job.
- **Suchen Sie eine kurzfristige Stelle?**
  Are you looking for a temporary job?

Fragen zum Inhalt

1. Was hat Andrea festgestellt?
2. Was hat sie deshalb vor?
3. Warum sucht Andrea einen Job?
4. Wird es schwer sein, eine Stelle zu finden?
5. Welches grosse Problem ist gelöst?
6. Wo werden Jobs angeboten?
7. Was für Stellen gibt es hier meistens?

Fragen zum Überlegen und Diskutieren

1. Was halten Sie davon, dass Andrea ihr Studium ein Jahr aussetzen will?
2. Was für Jobs haben Sie selbst schon gehabt? Erzählen Sie Ihren Klassenkameraden, was Sie getan haben, was Sie verdient haben—und was Sie dabei gelernt haben!
3. Welche Jobs hat ADIA für Studenten? —Beschreiben Sie einige Jobs! —Welchen Job würden Sie sich aussuchen? Warum?

Das Arbeitsamt | 3

Das Arbeitsamt ist eine Verwaltungsstelle° mit drei Hauptaufgaben: Arbeitsvermittlung°, Berufsberatung und Verwaltung° der Arbeitslosenversicherung°. Andrea ist deshalb zum Arbeitsamt gegangen, um sich beraten zu lassen°, in welcher Branche° sie am besten eine Arbeit finden kann.

Der Herr in der Arbeitsvermittlung war sehr nett. Er sagte ihr, sie solle sich erst mal an das deutsche Arbeitsklima gewöhnen und sich eine Arbeit suchen, die sie nicht zu sehr überfordert°. Er hat ihr geraten°, sich eine Stelle in einem Büro zu suchen, wo sie ihre Kenntnisse° im Maschineschreiben gut benutzen kann und wo sie anfangs nicht gleich mit Kunden in Berührung° kommt. Dann hat ihr der Beamte auch zwei Firmen genannt, die gute Schreibmaschinenkräfte° suchen. Beide Firmen sind weit draussen am Stadtrand gelegen, aber Andrea möchte lieber eine Arbeit in der Stadt.

die Verwaltungsstelle *administrative office;* die Arbeitsvermittlung *job placement;* die Verwaltung *administration;* die Arbeitslosenversicherung *unemployment insurance;* s. beraten lassen *to seek advice;* die Branche *field, area;* überfordern *to demand too much;* raten *to advise;* die Kenntnisse (pl) *knowledge;* in Berührung kommen mit *to come in contact with;* die Schreibmaschinenkraft *typist*

Obwohl Andrea Betriebswirtschaft studiert, hat sie keine Ahnung, welche Ausbildung und welche Kenntnisse für die vielen verschiedenen Arbeitsangebote° für Kaufleute° verlangt werden. Der Berufsvermittler hat ihr deshalb eine kleine Broschüre gegeben, in der die einzelnen Kaufleute-Berufe kurz beschrieben sind.

Für die meisten dieser Berufe braucht man die mittlere Reife[1], manchmal reicht sogar noch ein guter Hauptschulabschluss[2] aus°. In zunehmendem Masse° aber werden Bewerber mit Abitur vorgezogen°. Die meisten Auszubildenden° machen dann eine 2 bis 3jährige Ausbildung im Betrieb mit, besuchen die Handelsschule[3] und legen dann vor der Industrie– und Handelskammer[4] eine Abschlussprüfung als Kaufmann oder Kauffrau ab°. Das Gehalt° für ausgebildete Berufsanfänger beträgt 1200 bis 1800 Mark monatlich je nach Vorbildung°, Branche und Betrieb.

In den meisten Annoncen°, die Andrea in der Zeitung gelesen hat, wird von den Arbeitsuchenden eine abgeschlossene° Ausbildung verlangt, manchmal auch eine mehrjährige Berufserfahrung°.

das Arbeitsangebot *job offer*; die Kaufleute (pl) *professional business people*; ausreichen *to be sufficient*; in zunehmendem Masse *to an increasing extent*; vorziehen *to prefer*; der Auszubildende *trainee*; eine Abschlussprüfung ablegen *to take a final examination*; das Gehalt *salary*; die Vorbildung *training*; die Annonce *ad*; abgeschlossen *completed*; die Berufserfahrung *job experience*

[1] Students who have successfully completed grade 10 of any of the various kinds of German high schools (**Realschule, Gymnasium**) have attained the **mittlere Reife.** This enables them to compete for certain jobs or to enter specialized schools (**Handelsschulen**) for further training.

[2] Students who complete the nine-year curriculum of a **Hauptschule** (four years of **Grundschule** and five years of **Hauptschule**) receive a **Hauptschulabschluss.**

[3] **Handelsschulen** are trade schools with a three-year curriculum. These schools are for students who have finished the **Hauptschule** and are employed as apprentices.

[4] The **Industrie- und Handelskammer** is an institution representing the interests of the various branches of industry and commerce. In addition, it oversees the training and licensing of apprentices and journeymen.

Was folgt sind Kurzbeschreibungen der Ausbildungswege für fünf verschiedene Kaufleute-Berufe[5].

Bankkaufleute: Die Ausbildung erfolgt° in einer Bank. Fremdsprachen sind erwünscht. Man arbeitet am Schalter° und am Schreibtisch, berät° Kunden über Sparverträge° und andere Geldanlagen°, verwaltet Guthaben° und Wertpapiere°, ist in der Buchhaltung°, der Aussenhandelsabteilung° oder Datenverarbeitung° tätig°. Gute Fortbildungsmöglichkeiten° in Lehrgängen° und an Fachakademien°.

Bürokaufleute: Ausbildung in einem Industriebetrieb. Arbeitsplätze für Bürokaufleute gibt es in allen Branchen im Organisations- und Verwaltungsbereich°, zunehmend° auch in der elektronischen Datenverarbeitung (EDV). Fortbildungsmöglichkeiten an Fachschulen°.

---

erfolgen *to take place;* der Schalter *window, counter;* beraten *to advise;* der Sparvertrag *savings agreement;* die Geldanlage *investment;* das Guthaben *bank or deposit account;* die Wertpapiere (pl) *securities;* die Buchhaltung *accounting;* die Aussenhandelsabteilung *department for foreign trade;* die Datenverarbeitung *data processing;* tätig sein *to be employed;* die Fortbildungsmöglichkeit *possibility for advancement;* der Lehrgang *training program;* die Fachakademie *professional school;* der Bereich *area, field;* zunehmend *increasingly;* die Fachschule *full-time business or vocational school*

---

[5] Persons who have been trained on the job and have also attended professional schools are entitled to call themselves **Kaufleute,** as in **Bankkaufleute, Bürokaufleute,** etc.

Berufsausbildung bei Bayer. Das Bayerwerk stellt jährlich rund tausend Auszubildende ein und bildet sie in 40 Berufen aus. 42% bereiten sich auf einen naturwissenschaftlich–technischen, 39% auf einen gewerblichen und 19% auf einen kaufmännischen Beruf vor. Das Foto zeigt eine Unterrichtsstunde bei den kaufmännischen Auszubildenden.

Einzelhandelskaufleute: Ausbildung erfolgt in Fachgeschäften oder Warenhäusern, in den ersten zwei Jahren zum Verkäufer oder zur Verkäuferin, im dritten Jahr zum Kaufmann oder zur Kauffrau.

Reisebürokaufleute: Ausbildung im Reisebüro. Man lernt die Vorbereitung von Reisen aller Art, liest Karten und Kursbücher°. Eine Fremdsprache ist erforderlich°, mehrere erwünscht. Fortbildung besteht durch Sprachkurse, Auslandsaufenthalte° und Besuch von Fachschulen.

Industriekaufleute: Ausbildung in Industrieunternehmen°. Sprachkenntnisse sind erforderlich. Man arbeitet in der Organisation, Verwaltung, Werbung°, im Verkauf oder im Personalwesen° von Industriebetrieben.

---

das Kursbuch *schedule (of trains, etc.);* erforderlich sein *to be required;* der Auslandsaufenthalt *stay abroad;* das Industrieunternehmen *industrial enterprise;* die Werbung *advertising;* das Personalwesen *personnel department*

Auszubildende bei Siemens

WORTSCHATZ UND REDEWENDUNGEN

die Abschlussprüfung, -en *final examination*
das Arbeitsamt, ⁻er *employment office*
das Arbeitsangebot, -e *job offer*
die Arbeitslosenversicherung *unemployment insurance*
der Arbeitsuchende, -n *job seeker*
die Arbeitsvermittlung *job placement*
die Ausbildung *training*
der Auslandsaufenthalt, -e *stay abroad*
die Aussenhandelsabteilung, -en *department for foreign trade*
der Auszubildende, -n *trainee*
der Bereich, -e *area*
die Berufsberatung *job counseling*
die Berufserfahrung *job experience*
der Berufsvermittler, - *employment agent*
die Branche, -n *field*
die Buchhaltung *accounting department*
die Datenverarbeitung *data processing*
die Fachakademie, -n *professional school*
die Fachschule, -n *full-time business or vocational school*
die Fortbildungsmöglichkeit, -en *possibility for advancement*
das Gehalt, ⁻er *salary*

die Geldanlage, -n *investment*
das Guthaben, - *bank or deposit account*
das Industrieunternehmen, - *industrial enterprise*
die Kauffrau, -en *professional business-woman*
der Kaufmann, die Kaufleute *professional businessman*
die Kenntnisse (pl) *knowledge*
das Kursbuch, ⁻er *schedule (of trains, etc.)*
der Lehrgang, ⁻e *training course*
das Maschineschreiben *typing*
das Personalwesen *personnel department*
der Schalter, - *counter*
die Schreibmaschinenkraft, ⁻e *typist*
der Sparvertrag, ⁻e *savings agreement*
die Verwaltung, -en *administration*
die Verwaltungsstelle, -n *administrative office*
die Vorbildung *training*
die Werbung *advertising*
die Wertpapiere (pl) *securities*
beraten (ä, ie, a) *to advise*
s. beraten lassen *to seek advice*
erfolgen *to take place*

raten (ä, ie, a) *to advise*
überfordern *to demand too much*
verwalten *to administer*
vorziehen (o, o) *to prefer*

erforderlich sein *to be required*
in Berührung kommen mit *to come in contact with*

tätig sein *to be employed*

abgeschlossen *completed*
mehrjährig- *over several years*

in zunehmendem Masse *to an increasing degree*
zunehmend *increasingly*

- **Können Sie mich beraten, in welcher Branche ich einen Job finden kann?**
  Can you advise me about fields in which I can find a job?
- **Können Sie gut maschineschreiben? Wir suchen Schreibmaschinenkräfte.**
  Can you type well? We are looking for typists.
- **Hier sind verschiedene Arbeitsangebote.**
  Here are several job offers.
- **Haben Sie eine abgeschlossene Ausbildung? Berufserfahrung?**
  Have you completed your training? Do you have experience?
- **Ich war einmal in einer Bank tätig.**
  At one time I was employed in a bank.
- **Hier ist etwas, wo eine Fremdsprache erforderlich ist.**
  Here is something requiring a foreign language.

Fragen zum Inhalt

1. Welches sind die drei Hauptaufgaben des Arbeitsamtes?
2. Warum ist Andrea überhaupt zum Arbeitsamt gegangen?
3. Was hat ihr der Herr in der Arbeitsvermittlung geraten?
4. Warum hat Andrea kein Interesse an den Stellen, die ihr empfohlen wurden?
5. Was für eine Broschüre hat ihr der Berufsvermittler mitgegeben? Warum?
6. Was braucht man heutzutage für die meisten Kaufleute-Berufe?
7. Wie werden die meisten Auszubildenden für ihren Beruf vorbereitet?
8. Wie hoch ist das Gehalt für ausgebildete Berufsanfänger?
9. Was wird in den meisten Annoncen von den Arbeitsuchenden verlangt?
10. Wie werden Bankkaufleute ausgebildet? Bürokaufleute? Einzelhandelskaufleute? Reisebürokaufleute? Industriekaufleute?

Fragen zum Überlegen und Diskutieren

1. Diskutieren Sie die drei Hauptaufgaben des Arbeitsamtes: Arbeitsvermittlung, Berufsberatung, und Verwaltung der Arbeitslosenversicherung!
2. Was halten Sie von der Ausbildung von Kaufleuten? Welche Vor- oder Nachteile sehen Sie in einer solchen Ausbildung?
3. Wie werden die verschiedenen Kaufleute (Seite 11–12) in den USA ausgebildet?

Aufgabe

Sie suchen eine Stelle. Welche Fragen würden Sie bei einem Vorstellungsgespräch stellen? Schreiben Sie diese Fragen auf!

Stellenangebote in den Zeitungen | 4

Andrea schaut sich auch jeden Tag die Stellenangebote in den Zeitungen an. Da gibt es ein besonders grosses Angebot an Stellen für Verkäuferinnen; aber das will sie ja nicht tun. Das Angebot für Bürokräfte ist auch gross, und manche Anzeigen sehen sehr verlockend aus.

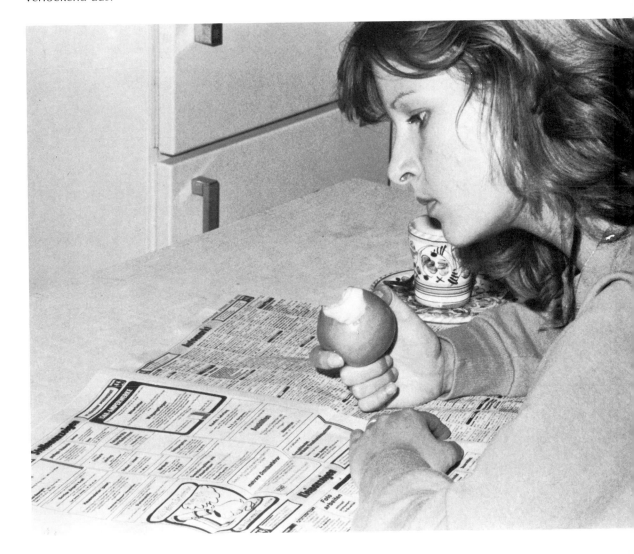

 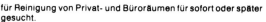

Wortschatz *(per Annonce)*

① **das Spezialunternehmen, -** *specialized company;* **die Warenauslieferung, -en** *merchandise delivery;* **in Dauerstellung** *for permanent employment;* **erforderlich** *required;* **erwünscht** *desired;* **die Spesen** (pl) *expenses*

② **Mittlere Reife** *10th grade high school leaving certificate;* **nettes Äusseres** *neat appearance*

③ **ehrgeizig** *ambitious;* **der Bildschirm, -e** *screen;* **das Datenerfassungsbüro, -s** *data collecting office*

④ **zwecks** *for the purpose of;* **der Bürokaufmann, -leute** *trained office worker;* **Bew. = die Bewerbung, -en** *application;* **das Zeugnis, -se** *job reference*

⑤ **die Steuergehilfin, -nen** *person trained to assist a tax consultant*

⑥ **die Auszubildende, -n** *female trainee;* **die Voraussetzung, -en** *prerequisite*

⑦ **die Hauswirtschaft** *home economics;* **städtischer Bereich** *within the city;* **hauswirtschaftliche Praktikantin, -nen** *person getting practical experience in a domestic situation;* **Ang. u. = Angebot unter** *offer under;* **SZ = Süddeutsche Zeitung**

⑧ **die Bürogehilfin, -nen** *office helper (f);* **Steno** *shorthand*

⑨ **ges. = gesucht** *wanted*

⑩ **zuverlässig** *reliable;* **die Kenntnisse** (pl) *knowledge;* **die Mechanik** *mechanics;* **die Elektromechanik** *electromechanics;* **der PKW (Personenkraftwagen)** *passenger car;* **die Lagerhaltung** *warehousing;* **der Warenversand** *shipping;* **vielseitige andere Aufgaben** *a variety of other tasks;* **GmbH = Gesellschaft mit beschränkter Haftung** *incorporated company*

⑪ **mittler-** *medium-sized;* **das Bauunternehmen,-** *construction company;* **die Abteilungssekretärin, -nen** *departmental secretary;* **die Kalkulation** *cost-accounting department;* **angemessen** *appropriate;* **die Altersversorgung, -en** *old-age benefits*

⑫ **f. d. = für die;** **die Teilzeitbeschäftigung** *part-time employment;* **gelernte Fachkräfte** *qualified personnel;* **bevorzugen** *to prefer, give priority to;* **die Anlernkraft, ̈e** *trainee;* **bei Bedarf** *in case of need;* **die Teilverpflegung** *some meals;* **die Berufskleidung** *work clothes;* **wird gestellt** *is (are) provided;* **die Bewerbung, -en** *application*

⑬ **die Zugehfrau, -en** *cleaning lady;* **die Reinigung** *cleaning;* **der Fensterputzer, -** *window washer;* **vorhanden sein** *to be available, on hand;* **benötigen** *to need;* **die Weihnachtsgratifikation** *Christmas bonus;* **das Urlaubsgeld** *vacation pay;* **der Essenzuschuss** *some money for meals;* **die Werbeagentur, -en** *advertising agency*

⑭ **schmackhaft** *tasty;* **das Bauernbrot, -e** *farmer's bread;* **selbständiges Aufgabengebiet** *freedom to determine one's own work assignment;* **der Zuschuss, ̈e** *supplement;* **Zuschuss zur vermögenswirksamen Leistung** *contribution to (employee's) government saving plan;* **s. richten nach** *to comply with;* **zusätzlich** *additional;* **branchenfremd** *unfamiliar (with the field of work);* **einarbeiten** *to train*

⑮ **das Lehrmädchen, -** *apprentice;* **der Frisörladen, ̈** *beauty parlor;* **die Ausländerin, -nen** *foreigner (f)*

⑯ **die Filiale, -n** *branch office;* **die Mitarbeiterin, -nen** *colleague;* **die Fahrschule, -n** *driving school*

⑰ **die Rechnungsabteilung, -en** *billing department;* **die Datentypistin, -nen** *typist (for data);* **die Fahrgelderstattung** *reimbursement for fare;* **das Monatsgehalt** *monthly salary;* **anteilige Vermögensbildung** *pro-rated contribution to premium savings;* **die Vereinbarung, -en** *arrangement;* **der Vorstellungstermin, -e** *appointment for a personal interview;* **einreichen** *to send in;* **schriftlich** *written*

⑱ **die Schreibkraft, ̈e** *typist;* **der Schreibsaal, -säle** *large-area office space;* **ferner** *furthermore;* **der Versand** *shipping;* **die Briefpost** *mail (letter mail);* **die Adrema (Adressmaschine)** *addressograph;* **neben D** *in addition to;* **sicher** *secure;* **nach BAT** *according to BAT (Bundesarbeitstarif)* **schedule (tariff);* **der Vorteil, -e** *advantage;* **der öffentliche Dienst** *civil service;* **preisgünstig** *inexpensive;* **der Mittagstisch** *midday meals;* **vereinbaren** *to arrange;* **der Termin, -e** *date, appointment;* **die Personalverwaltung, -en** *personnel department*

Zusammenfassung

Was wird verlangt?	Was wird geboten?
Führerschein, Klasse (3)	Dauerstellung
Ortskenntnis	Teilzeitbeschäftigung
Mittlere Reife / Abitur	Gehalt von DM . . . / gute Bezahlung
nettes Äusseres	Spesen
gute Schreibmaschinenkenntnisse	Ausbildung als . . .
Steno	modernes Büro
schriftliche Bewerbung	Essenzuschuss / Teilverpflegung
Zeugnis	Berufskleidung (wird gestellt)
Bild	40-Stunden-Woche
gelernte Fachkraft	Weihnachtsgratifikation
Kenntnisse in . . .	Urlaubsgeld / 13. Monatsgehalt
eigener PKW	Altersversorgung
	Zuschuss zum Fahrgeld / Fahrgelderstattung
	selbständiges Aufgabengebiet
	Arbeitszeit nach Wunsch
	zusätzlicher freier Tag
	freitags Arbeitsschluss um 14.15 Uhr
	Mittagstisch im Haus

Fragen zum Diskutieren

1. Lesen Sie jede Annonce noch einmal, und machen Sie sich auch mit allen Abkürzungen vertraut!
2. Diskutieren Sie darüber, was von den Arbeitsuchenden alles verlangt wird! (Was für eine Ausbildung, was für Kenntnisse sollen sie haben? Was sollen sie besitzen? usw.)
3. Sprechen Sie über die verschiedenen Leistungen, die die einzelnen Firmen neuen Mitarbeitern bieten! Besprechen Sie solche Leistungen wie Berufskleidung, Essenzuschuss, Urlaubsgeld, usw.!

Aufgaben

1. Lesen Sie und diskutieren Sie einige andere Jobangebote, die Sie auf den Seiten 16–17 finden!
2. Schreiben Sie eine Stellenanzeige für irgendeinen Job. Bestimmen Sie, was für Voraussetzungen Sie von einem Bewerber erwarten, und was für Leistungen Sie als Arbeitgeber bieten!
3. Suchen Sie sich ein Stellenangebot heraus, und bewerben Sie sich telefonisch um diese Stellung! Einer Ihrer Klassenkameraden muss dabei den Personalchef der Firma spielen.

Andrea bewirbt sich um eine Stelle

In der Samstagausgabe° der Süddeutschen[1] hat Andrea zwei Stellenangebote gefunden, für die sie sich sehr interessiert. In beiden Anzeigen wird eine zuverlässige° Bürokraft° gesucht für folgende Aufgaben: Maschineschreiben° (200 Anschläge[2]), Korrespondenzablage°, leichter Telefondienst°.

Andrea hat schon ein Bewerbungsschreiben entworfen. Hier ist das, das sie an die Firma Backhaus, GmbH[3] schickt.

kann an modernstem Erfassungsgerät (Bildschirm) zur Datentypistin ausgebildet werden.
Datenerfassungsbüro Beier, Tengstr. 6, 8 Mü 40, ☎377172

Hallo Töchter!
Kleines Team, mittem in Theatiner-Boulevard sucht freundl. Lehrmädchen zwecks Ausbildung als **Top-Bürokaufmann**. Bew., Zeugnisse, Bild unt ☒ ZS9347414

Zur Ausbildung als
Steuergehilfin
suche ich ein interessiertes Mädchen mit mittl. Reife für modernes Büro in Schwabing.
Dr. Heuderfer, WP/Stb., ☎334081

Suche ab sofort od. zum 1.9.80
Auszubildende

Berg am Laim

Wir sind:
ein mittleres Bauunternehmen

Wir suchen: eine
Abteilungssekretärin
für unsere Kalkulation, perfekt in Steno und Schreibmaschine mit Englischkenntnissen an 3 Tagen in der Woche (Mi., Do. und Fr.).

Wir bieten:

---

die Ausgabe *edition;* zuverlässig *reliable;* die Bürokraft *office help;* maschineschreiben *to type;* die Korrespondenzablage *filing of letters;* der Telefondienst *phone duty*

---

[1] The **Süddeutsche Zeitung** is one of Germany's largest daily newspapers. It is published in Munich and sells about 360,000 copies a day. Newspapers with higher daily sales are the **Westdeutsche Allgemeine Zeitung** (Essen: 680,000 copies), **Hannoversche Allgemeine Zeitung** (Hannover: 464,000 copies), **Rheinische Post** (Düsseldorf: 390,000 copies), and the daily tabloid **Bild** (Hamburg: 5,900,000 copies).

[2] The results of a typing test are stated in number of "key touches" (**Anschläge**) per minute, not in the number of words typed per minute.

[3] The name of a particular firm may or may not be followed by an abbreviation telling what type of firm it is. No abbreviation means that the firm belongs to one owner (**Einzelfirma**) who has sole responsibility for the business and is liable with his or her entire assets, both business and personal. Partnerships are indicated by the abbreviations **OHG (Offene Handelsgesellschaft)** and **KG (Kommanditgesellschaft).** An **OHG** indicates a general partnership, with all partners engaged in running the business and each one fully liable for the debts of the partnership. A **KG** is a limited partnership with some partners running the firm and fully liable for all debts, and some partners not participating in the management of the firm and liability limited to the holding in the company. Corporations are indicated by the abbreviations **AG (Aktiengesellschaft)** and **GmbH (Gesellschaft mit beschränkter Haftung).** An **AG** must have a minimum capital of DM 100 000, it must have a board (**Vorstand**), a supervisory board (**Aufsichtsrat**), and it must publish financial statements in an annual report. Its shares may or may not be quoted on the stock exchange. A **GmbH** is the more popular way of incorporating. The minimal capital is only DM 20 000, its shares are not quoted on stock exchanges, and there are fewer publication requirements.

Andreas Bewerbungsschreiben

Andrea Krueger
Studentenstadt
Haus IIa, Zimmer 39
Grasmeierstr. 19
8000-München 45

den 30. Juni 1982

Firma Backhaus, GmbH
Personalabteilung
Frankfurter Ring 17
8000-München 40

Sehr geehrte Herren!

In bezug auf Ihr Stellenangebot in der Süddeutschen Zeitung vom 30. Juni möchte ich mich um die Stellung als Bürokraft bewerben.

Ich bin gebürtige Amerikanerin und studiere zur Zeit Betriebswirtschaft an der Ludwig-Maximilians-Universität hier in München. Ich habe vor, mein Studium auf ein Jahr zu unterbrechen, um praktische Kenntnisse im Berufsleben zu erwerben.

Ich schreibe Maschine (200 Anschläge) und bin mit anderen Büromaschinen wie Kopierer und Diktiergeräten vertraut. Ich habe eine Arbeitserlaubnis, die 18 Monate gültig ist.

Ich nehme an, dass sie es vorziehen, die ausgeschriebene Stelle mit einer permanenten Kraft zu besetzen. Doch bitte ich Sie, mir vielleicht auch eine Chance zu geben. Mein Deutsch ist sehr gut, und ich bin bereit, eine Prüfung über meine Fähigkeiten abzulegen.

Diesem Schreiben lege ich einen handgeschriebenen Lebenslauf und ein Passbild bei. Ich würde mich sehr freuen, von Ihnen zu hören.

Mit freundlichen Grüssen

Andrea Krueger

---

in bezug auf *with reference to;* gebürtig *native, by birth;* die Kenntnisse (pl) *knowledge, experience;* erwerben *to acquire;* vertraut sein mit *to be familiar with;* die Arbeitserlaubnis *work permit;* gültig sein *to be valid;* annehmen *to assume;* vorziehen *to prefer;* die ausgeschriebene Stelle *the advertised position;* besetzen *to fill;* die Fähigkeit *ability;* eine Prüfung ablegen *to take a test*

WORTSCHATZ UND REDEWENDUNGEN

der Anschlag, ⸚e *touch (on a keyboard)*
die Arbeitserlaubnis *work permit*
die Ausgabe, -n *edition*
die Bürokraft, ⸚e *office help*
das Diktiergerät, -e *dictating machine*
die Fähigkeit, -en *ability*
die Kenntnisse (pl) *knowledge*
der Kopierer, - *copier*
die Korrespondenzablage *filing (of letters)*
die Kraft, ⸚e *help, worker*
das Maschineschreiben *typing*
das Schreiben, - *letter*
das Stellenangebot, -e *help-wanted ad*
der Telefondienst *phone duty*

annehmen (i, a, o) *to assume*

beilegen *to enclose*
besetzen *to fill (a job)*
erwerben (i, a, o) *to acquire*
maschineschreiben (schreibt Maschine, hat maschinegeschrieben) *to type*
unterbrechen (i, a, o) *to interrupt*
vorziehen (o, o) *to prefer*

eine Prüfung ablegen *to take a test*
gültig sein *to be valid*
vertraut sein mit *to be familiar with*

gebürtig *native, by birth*
zuverlässig *reliable*

die ausgeschriebene Stelle *the advertised job*
in bezug auf A *with reference to*

- **Sind Sie gebürtiger Deutscher oder Amerikaner?**
  Are you a native German or an American?
- **Ich interessiere mich für dieses Stellenangebot.**
  I am interested in this job offer.
- **Schicken Sie uns Ihr Bewerbungsschreiben und Ihren Lebenslauf!**
  Send us your job application and your résumé.
- **Wie gut schreiben Sie Maschine? — 200 Anschläge.**
  How well do you type? — 200 "Anschläge."
- **Sind Sie auch mit anderen Büromaschinen vertraut?**
  Are you also familiar with other office machines?

Fragen zum Inhalt

1. In welcher Zeitung hat Andrea zwei Annoncen gefunden?
2. Was wird von der Bewerberin verlangt?
3. Was hat Andrea schon entworfen?
4. Was für Fähigkeiten hat Andrea? Was hat sie geschrieben?
5. Wozu ist Andrea bereit?
6. Was legt sie ihrem Bewerbungsschreiben bei?

Fragen zum Überlegen und Diskutieren

1. Wo finden Sie Stellenangebote in Ihrer Gegend?
2. Erzählen Sie, wie Sie schon einmal auf eine Zeitungsannonce hin einen Job gefunden haben!

Aufgabe

Auf Seite 16 sind verschiedene Stellenangebote abgedruckt. Suchen Sie sich eine passende Stellung aus, und bewerben Sie sich darum! Schreiben Sie Ihr eigenes Bewerbungsschreiben, und diskutieren Sie es dann mit Ihren Klassenkameraden!

6 | Andrea schreibt einen Lebenslauf

Andrea hat ihren Lebenslauf auf zwei Arten° vorbereitet, einen tabellarischen°, mit der Maschine geschrieben und einen ausführlichen, handgeschriebenen Lebenslauf[1]. Sie entschliesst sich°, den handgeschriebenen ihrem Bewerbungsschreiben beizulegen.

auf zwei Arten *in two ways;*   tabellarisch *tabular;*   s. entschliessen (etwas zu tun) *to decide*

[1] Many companies require a handwritten curriculum vitae which — depending upon the nature of the job — is analyzed by a graphologist (handwriting analyst) to determine personality traits. *Business Week* magazine reports that handwriting analysis is gradually but steadily gaining acceptance among American businessmen as an alternative to more costly employee-testing programs.

Ihr tabellarischer Lebenslauf

```
                        Lebenslauf
                                            Andrea Krueger
Geburtstag und Geburtsort    18. August 1961 in Madison, WI, USA

Familienstand                ledig

Eltern                       Horst Krueger, Mary Krueger, geb. Wilson

Schulen                      1967-73 Elementary School, Madison

                             1973-75 Junior High School, Waukesha

                             1975-79 Senior High School, Madison

                                     High School Diploma

Universitäten                1979-81 University of Wisconsin, Madison

                             Fach: Betriebswirtschaft und Soziologie

                             1981-82 Ludwig-Maximilians-Universität,

                             München, Fach: Betriebswirtschaft

Arbeitserfahrung             1977, 78, 79 Sommerarbeit im Büro der

                             Firma Sandler, Madison

                             1980    Bürokraft an der Universität

                             1981    Juni-September: Sekretärin im

                             Büro von „United Tools", Madison

Besondere Kenntnisse         Englisch (Muttersprache), Deutsch (Zer-

                             tifikat Deutsch: sehr gut), etwas

                             Französisch

Freizeitgestaltung           Lesen, Schwimmen, Wandern
```

Andrea Krueger

---

der Familienstand *marital status;* ledig *single;* die Betriebswirtschaft *business management;* die Arbeitserfahrung *work experience;* die Bürokraft *office help;* die Werkzeugfabrik *tool factory;* die Kenntnisse (pl) *knowledge;* die Freizeitgestaltung *leisure-time activity*

Ihr handgeschriebener Lebenslauf

Andrea Krueger
Studentenstadt
Haus II a, Zimmer 39
Grasmeierstr. 19
8000 München 45

Lebenslauf

Ich heisse Andrea Krueger. Ich wurde am 18. August 1961 als zweites Kind des Oberschullehrers Horst Krueger und seiner Frau Mary Krueger, geb. Wilson in Madison, Wisconsin geboren. Mein Vater ist heute Schuldirektor von Beruf, meine Mutter Krankenschwester. Ich habe zwei Geschwister, einen älteren Bruder, Andrew Krueger und eine jüngere Schwester, Annette.

Im Jahre 1967 wurde ich eingeschult, und ich besuchte zwischen 1967 und 1973 die Elementary School in Madison, Wisconsin. Meine beiden Junior High School Jahre, 1973-1975 verbrachte ich in Waukesha, Wisconsin, weil mein Vater dort eine bessere Stelle angenommen hatte. Von 1975-1979 besuchte ich die Senior High School in Madison, Wisconsin, wo mein Vater als Schuldirektor tätig ist.

---

die Krankenschwester *nurse;* einschulen *to start school;* fertig werden mit *to finish with;* die betriebswirtschaftliche Fakultät *business school;* beruhen auf *to be based upon;* Sport treiben *to go out for sports*

Im Juni 1979 wurde ich mit der High School fertig, und ich erhielt das High School Diploma.

In den Jahren 1979 bis 1981 besuchte ich vier Semester lang die Universität von Wisconsin, wo ich Betriebswirtschaft und Soziologie studierte. Im akademischen Jahr 1981/82 war ich Studentin an der betriebswirtschaftlichen Fakultät der Ludwig-Maximilians-Universität in München. Ich beabsichtige, im Jahr 1983/84 zwei weitere Semester in München zu studieren, bevor ich nach Madison zurückkehre.

Meine Arbeitserfahrung beruht auf Büroarbeit in den Sommerferien 1977-79. Von Juni bis Oktober 1981 war ich als Sekratärin im Büro der Werkzeugfabrik United Tools in Madison, WI, angestellt.

Meine Sprachkenntnisse sind English und Deutsch. Ich kann auch etwas Französisch.

In meiner Freizeit lese ich, ich treibe gern Sport, besonders Wandern und Schwimmen.

Andrea Krueger

WORTSCHATZ UND REDEWENDUNGEN

die Arbeitserfahrung *work experience*
die Betriebswirtschaft *business management*
das Bewerbungsschreiben, - *letter of application*
die Bürokraft, ̈-e *office help*

das Diplom, -e *diploma*
der Familienstand *marital status*
die Freizeitgestaltung *leisure-time activity*
die Kenntnisse (pl) *knowledge*
die Krankenschwester, -n *nurse*

der Lebenslauf, ⸚e *résumé*
die Soziologie *sociology*
die Werkzeugfabrik, -en *tool factory*

beilegen *to enclose*
beruhen auf A *to be based upon*
einschulen *to start school*
s. entschliessen (o, o) *to decide*
studieren *to study (at a university)*

angestellt sein *to be employed*
die Schule besuchen *to go to school*
fertig werden mit *to finish with*
Sport treiben *to go out for sports*

tätig sein *to be employed*

akademisch *academic*
ausführlich *detailed*
handgeschrieben *handwritten*
tabellarisch *tabular*

auf zwei Arten *in two ways*
die betriebswirtschaftliche Fakultät
  business school (of a university)
geb. = geboren *nee*
vier Semester lang *for four semesters*
von Beruf *by profession*

- **Wann und wo sind Sie geboren?**
  When and where were you born?
- **Wann und wo wurden Sie eingeschult?**
  When and where did you start school?
- **Welche Schulen haben Sie besucht?**
  Which schools did you attend?
- **Wann sind Sie mit der Schule fertig geworden?**
  When did you finish school?
- **Was beabsichtigen Sie, jetzt zu tun?**
  What do you plan to do now?
- **Haben Sie Arbeitserfahrung?**
  Do you have any work experience?

Fragen zum Inhalt

1. Wann und wo ist Andrea geboren?
2. Wie viele Geschwister hat sie? Wie heissen sie?
3. Ist sie die jüngste in der Familie?
4. Wie heissen ihre Eltern, und was für Berufe haben sie?
5. Wann und wo wurde Andrea eingeschult?
6. Welche Schulen besuchte sie zwischen 1973 und 1979?
7. Was und wo studierte sie zwischen 1979 und 1981?
8. Was machte sie im akademischen Jahr 1981/82?
9. Wann möchte sie weiterstudieren?
10. Welche Berufserfahrung hat Andrea?
11. Was für besondere Kenntnisse hat sie?
12. Was für Hobbies hat sie?

Aufgabe

Schreiben Sie Ihren eigenen Lebenslauf, auch auf zwei Arten, einen tabellarischen und einen ausführlichen, handgeschriebenen! Lesen Sie diese Ihren Klassenkameraden vor und unterhalten Sie sich über die einzelnen Angaben in Ihrem Lebenslauf!

Pünktlich um 14 Uhr 30 erscheint Andrea in der Personal-
abteilung der Firma Backhaus. ,,Ich heisse Andrea Krueger. Ich
komme wegen der Stelle als Bürokraft°. Ich habe einen Termin um
2 Uhr 30 mit . . . hier ist der Brief.''

Andrea wird von einer Sekretärin den Korridor entlang zu
einem Büro geführt. Sie liest das Namenschild neben der ge-
schlossenen Tür²: Herbert Richter, Personaldirektor.

Die Sekretärin klopft an°: ,,Herr Richter, Fräulein Krueger ist
da.'' Personaldirektor Richter, Mitte Vierzig, sieht sympathisch°
aus. Er gibt Andrea die Hand. ,,Richter. Bitte setzen Sie sich!''

So ein Vorstellungsgespräch ist für beide Seiten von grosser
Bedeutung. Firmen wollen Leute einstellen, deren Kenntnisse° und

rbert Richter

Personaldirektor

ar und Fussnote für Seite 27

ige *rejection;* die Zusage *acceptance;* das Postfach *post office box;* das Zeichen *identification initials;* Bezug
auf *with reference to;* mitteilen *to inform;* evtl. = eventuell *possible;* die Mitarbeit *employment;* erscheinen
r; der Termin *date;* gelegen sein *to suit;* verständigen *to inform*

res under German business letters are most often illegible and the name of the person who wrote the letter is not
elow the signature as is customary on American business letters. This means that you do not know with whom you
responding—or, in other words, you will always be addressing your letters to the company (**Sehr geehrte Herren! Sehr**
Damen und Herren!) rather than to a specific person. To make sure that the mail goes to the right person in the
ny, you are to use on your letter the identification initials below **Unser Zeichen** of the company's letter. (See Ri/Sa on
npany's letter.)

ar und Fussnote für Seite 28

okraft *office help;* anklopfen *to knock (at the door);* sympathisch *likeable, nice;* Kenntnisse (pl) *knowledge*

nan offices, doors to individual offices are usually kept closed.

AUF EIGENEN FÜSSEN!

Die persönlic
Vorstellu

Von den beiden Firmen, bei denen sich Andrea beworben hatte, hat sie eine Absage° und eine Zusage° erhalten. Die Zusage kommt von der Firma Backhaus, GmbH.

Backhaus GmbH

Backhaus GmbH Postfach 37641 D-8000 München 40 Frankfurter Ring 17
Telex 83418 Telefon (089) 4631-4

Ihr Zeichen/Datum	Unser Zeichen/Telefon	Datum
30. Juni 1982	Ri/Sa	6.

Liebes Frl. Krueger:

Wir nehmen Bezug auf Ihr Bewerbungsschreiben vom 30. Juni 1
teilen Ihnen mit, dass wir an Ihrer evtl. Mitarbeit in unse
interessiert sind.

Wir bitten Sie, Dienstag den 13. Juli um 14.30 Uhr in unse
abteilung zu einem Vorstellungsgespräch zu erscheinen.

Sollte Ihnen dieser Termin nicht gelegen sein, so bitten w
telefonisch zu verständigen.

Hochachtungsvoll

ppa. [signature] [1]

München: Postscheck 18742-29 Bayerische Vereinsbank 7491124

Für Vokabular und Fussnote siehe Seite 28!

H

Vokab

die A
nehm
to app

[1] Signa
type
are c
geeh
comp
the c

Vokab

die Bü

[2] In Ge

Fähigkeiten° den Anforderungen der offenen Stellen entsprechen°. Und andererseits gibt das Gespräch dem Bewerber die Möglichkeit, etwas über die künftige Stellung und über den Betrieb im allgemeinen zu erfahren. Ein Bewerber sollte daher nicht „mundfaul°" sein und durch geschickte° Fragen einen guten Eindruck° von sich erwecken. Zu einem Vorstellungsgespräch sollte man unbedingt pünktlich erscheinen, sich gut ausdrücken können und auch schon konkrete Vorstellungen° von der angebotenen Stellung haben. Unwissenheit°, Desinteresse und grosse Schüchternheit° erwecken keinen guten Eindruck.

Herr Richter hat sich mit Andrea gut unterhalten. Er wollte viel von Amerika wissen. Herr Richter schlägt dann vor, dass Andrea gleich die Schreibmaschinenprüfung macht. „Nach der Prüfung kommen Sie wieder zurück zu mir! Ja?"

Nach der Prüfung muss Andrea noch ein bisschen warten, bis Herr Richter sie wieder zu sich ins Büro bittet. Er sagt ihr, dass sie in dem 3-Minuten-Test 220 Anschläge pro Minute getippt und dabei nur zwei Fehler gemacht hat. Herr Richter ist mit diesem Ergebnis sehr zufrieden, und er sagt ihr, dass er sie jetzt gleich noch mit Herrn Hammer bekanntmachen möchte, in dessen Abteilung die offerierte Stelle frei ist.

Mit zehn Fingern geht es nämlich leichter und schneller. Und es ist gar nicht schwer zu lernen. Jeder Finger hat seine bestimmten Tasten zu bedienen. Beim Schreiben ruhen die Daumen leicht auf der langen Leertaste, und jeder Finger, der gerade nicht anschlägt, ruht auf seiner »Ausgangstaste«. Übung macht den Meister! Bald finden Ihre Finger die richtigen Tasten, ohne daß Sie hinsehen müssen. Dann sind Sie ein perfekter »Blindschreiber«. Sie werden es sehen: beim Schreiben mit zehn Fingern schonen Sie Ihre Kräfte. Und die Maschine auch.

---

die Fähigkeit *ability;* den Anforderungen entsprechen *to meet the requirements;* mundfaul *tongue-tied;* geschickt *skillful;* einen guten Eindruck erwecken *to make a good impression;* die Vorstellung *impression;* die Unwissenheit *ignorance;* die Schüchternheit *shyness*

Abteilungsleiter° Hammer

Herr Hammer ist der Abteilungsleiter der „Auftragsabteilung°/ Export, Raum Süddeutschland". In dieser Abteilung werden die Kundenaufträge zur Lieferung zusammengestellt° und die Rechnungen für die EDV° vorbereitet. Herr Hammer hat 22 Angestellte unter sich.

Herr Hammer fasst noch einmal die Aufgaben zusammen°, die die neue Bürokraft verrichten° muss: ca. 60-80% maschineschreiben—meistens Rechnungen an Kunden und Korrespondenz mit den Kunden—dann die Ablage°, Fotokopien machen usw. und ab und zu Telefondienst°. Das Gehalt° beläuft sich auf° 1.800,00³ Mark brutto monatlich. Andrea bekommt 13 Feiertage und 30 Urlaubstage im ersten Jahr.

Dann lässt sich Andrea noch den Arbeitsplatz zeigen. Auf ihre Frage hin°, ob sie überhaupt eine Chance hätte, die Stelle zu bekommen, weil sie nach einem Jahr weiterstudieren wolle, antwortet Herr Hammer, dass diese Tatsache° keinen Einfluss° auf seine Entscheidung hätte. Er verspricht Andrea, dass sie innerhalb° einer Woche von der Personalabteilung hören wird.

Günther Hammer
Auftragsabteilung

der Abteilungsleiter *department manager;* die Auftragsabteilung *order department;* zur Lieferung zusammenstellen *to assemble and prepare for shipment;* die EDV (elektronische Datenverarbeitung) EDP *(electronic data processing);* zusammenfassen *to summarize;* verrichten *to perform;* die Ablage *filing (of correspondence);* der Telefondienst *phone duty;* das Gehalt *salary;* s. belaufen auf *to amount to;* auf die Frage hin *in response to the question;* die Tatsache *fact;* der Einfluss *influence;* innerhalb *within*

---

³ Note that a period separates the thousands from the hundreds and a comma the singles from the pennies.

die **Ablage, -n** *filing*
die **Absage, -n** *refusal*
die **Abteilung, -en** *department, section*
der **Abteilungsleiter, -** *department manager, department head*
die **Anforderung, -en** *requirement*
der **Auftrag, ⸚e** *order*
die **Bedeutung, -en** *importance*
der **Betrieb, -e** *firm, company*
der **Bewerber, -** *applicant*
das **Bewerbungsschreiben, -** *letter of application*
die **Bürokraft, ⸚e** *office help*
das **Desinteresse** *lack of interest*
der **Einfluss, ⸚e** *influence*
die **Entscheidung, -en** *decision*
die **Fähigkeit, -en** *ability*
der **Feiertag, -e** *holiday, day off*
die **Fotokopie, -n** *photo copy*
das **Gehalt, ⸚er** *salary*
die **Kenntnisse** (pl) *knowledge*
die **Korrespondenz** *mail, correspondence*
der **Kunde, -n** *customer*
die **Mitarbeit** *working, employment*
die **Personalabteilung, -en** *personnel department*
der **Personaldirektor, -en** *director of personnel*
die **Rechnung, -en** *invoice*
die **Schüchternheit** *shyness*
die **Sekretärin, -nen** *secretary*
die **Stelle, -n** *position, job*
die **Stellung, -en** *position, job*
die **Tatsache, -n** *fact*
der **Telefondienst** *phone duty*
der **Termin, -e** *date*
die **Unwissenheit** *ignorance*
der **Urlaubstag, -e** *vacation day*
die **Vorstellung, -en** *introduction; impression*
das **Vorstellungsgespräch, -e** *interview*
die **Zusage, -n** *acceptance*

anbieten (o, o) *to offer*

anklopfen *to knock (at the door)*
s. ausdrücken *to express oneself*
bekanntmachen mit *to acquaint with*
s. belaufen auf A (äu, ie, au) *to amount to*
s. bewerben bei (i, a, o) *to apply at*
bitten (a, e) *to ask a person*
einstellen *to hire, employ*
erfahren (ä, u, a) *to find out*
erscheinen (ie, ie) *to appear*
maschineschreiben, schreibt Maschine, hat maschinegeschrieben *to type*
mitteilen *to inform*
tippen *to type*
verrichten *to perform*
verständigen *to notify, inform*
vorschlagen (ä, u, a) *to propose*
zusammenfassen *to summarize*
zusammenstellen *to put together, assemble*

eventuell *possible*
frei *free, vacant*
geschickt *skillful*
künftig *future*
mundfaul *tongue-tied*
persönlich *personal*
pünktlich *punctual, on time*
sympathisch *likeable, nice*

im allgemeinen *in general*
innerhalb D *within*
unbedingt *by all means*
wegen G *on account of*

Bezug nehmen auf A *to refer to*
den Anforderungen entsprechen *to meet the requirements*
die Hand geben *to shake hands*
einen Einfluss haben auf A *to influence*
einen guten (schlechten) Eindruck erwecken *to make a good (bad) impression*
gelegen sein D *to suit*
Hochachtungsvoll *Very truly yours*
interessiert sein an A *to be interested in*

- **Haben Sie eine Zusage oder eine Absage erhalten?**
  Did you get an acceptance or a rejection?
- **Was hat Ihnen die Firma mitgeteilt?**
  What did the company inform you about?
- **Ist Ihnen dieser Termin gelegen?**
  Does this date suit you?
- **Verständigen Sie mich telefonisch!**
  Let me know by phone.
- **Welche Kenntnisse und Fähigkeiten haben Sie?**
  What knowledge and what abilities do you have?
- **Sie ist sympatisch und erweckt einen guten Eindruck.**
  She is likeable and makes a good impression.
- **Sie ist nicht mundfaul; sie kann sich gut ausdrücken.**
  She is not tongue-tied; she is articulate.

- **Woran sind Sie interessiert?**
  What are you interested in?

Fragen zum Inhalt

1. Hatte Andrea mit den beiden Bewerbungsschreiben Erfolg?
2. Was schreibt ihr die Firma Backhaus?
3. Wie stellt sich Andrea vor, als sie pünktlich in der Personalabteilung der Firma Backhaus erscheint?
4. Wer führt sie zum Personalchef?
5. Welchen Eindruck hat Andrea von Herrn Richter?
6. Warum ist ein Vorstellungsgespräch so wichtig?
7. Wodurch kann ein Bewerber einen guten Eindruck erwecken?
8. Was macht dagegen keinen guten Eindruck?
9. Worüber hat sich Herr Richter mit Andrea unterhalten?
10. Wie ist Andreas Prüfung ausgefallen?
11. Warum soll sie noch Herrn Hammer kennenlernen?
12. Was für eine Position hat Herr Hammer?
13. Was wird in seiner Abteilung gemacht?
14. Was erzählt Herr Hammer der Andrea alles?
15. Was antwortet er auf ihre Frage, ob sie überhaupt eine Chance hätte, die Stelle zu bekommen?

Fragen zum Überlegen und Diskutieren

1. Berichten Sie über Ihr erstes Jobinterview oder über eins, an das Sie sich besonders gut erinnern können?
2. Was würden Sie Ihren Klassenkameraden raten, wie sie sich auf ein Interview vorbereiten sollten?

Aufgabe

Besorgen Sie sich einige amerikanische Geschäftsbriefe oder leere Geschäftsbriefformulare und vergleichen Sie die vorgedruckte Information mit der auf dem deutschen Geschäftsbrief der Firma Backhaus auf Seite 27!

Andrea bekommt eine Zusage

Hier ist ihr Anstellungsvertrag°1:

Backhaus GmbH

Backhaus GmbH   Postfach 37641   D-8000   München 40   Frankfurter Ring 17

Telex 83418   Telefon (089) 4631-4

Ihr Zeichen/Datum	Unser Zeichen/Telefon	Datum
	Ri/Sa	16. Juli 1982

Liebes Frl. Krueger:

Ich freue mich, Ihnen mitteilen zu können, dass Sie die Stellung bekommen, über die wir mit Ihnen gesprochen haben.

Sie können die Stelle am 23. Juli antreten. Ihr Anfangsgehalt beträgt DM 1.780,00 im Monat. Sie haben 13 Ferientage und 30 Urlaubstage im Jahr. Da Sie praktisch zur zweiten Jahreshälfte bei uns anfangen, gewähren wir Ihnen fünfzehn Urlaubstage.

Bitte vergessen Sie nicht, bei Ihrem Arbeitsantritt die Lohn-steuerkarte mitzubringen.

Hochachtungsvoll

München: Postscheck 18742-29   Bayerische Vereinsbank 7491124

Für Vokabular und Fussnote siehe Seite 34!

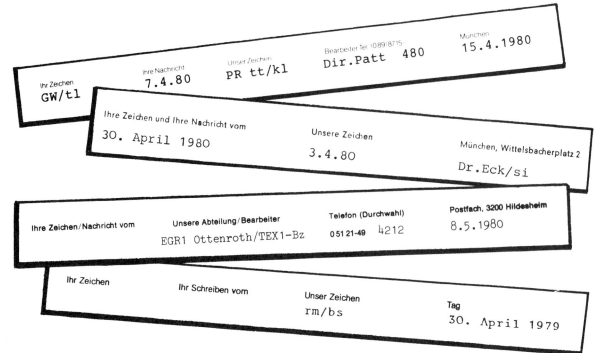

Jeder Geschäftsbrief zeigt die obengenannte Information: Ihr Zeichen, Ihre Nachricht (vom), Unser Zeichen, Ortsangabe — und manchmal auch noch andere Angaben.

Vokabular und Fussnote für Seite 33

---

der Anstellungsvertrag *employment contract;* mitteilen *to inform;* eine Stelle antreten *to start a job;* das Anfangsgehalt *starting salary;* betragen *to amount to;* gewähren *to grant;* bei Ihrem Arbeitsantritt *when you start working;* die Lohnsteuerkarte *identification card for income tax purposes*

---

[1] The signatures on company letters are most often not only illegible but they are usually also preceded by abbreviations, **i.A. (im Auftrag), i.V. (in Vertretung/ in Vollmacht),** and **ppa. (per Prokura).** The abbreviation **i.A.** means that the person signs the letter "on behalf of" or "by order of" a superior and implies that this person usually does not have the authority to act on behalf of the company. The **i.V.** means that the person signs the letter either "in absence of" somebody or that he or she "has the authority" to act on behalf of the company in a specific area. The abbreviation **ppa.** stands for **"per Prokura"** and means that the person is a so-called **Prokurist** and has the authority to act for the company in all business and legal matters. The **Prokura** is entered in the Commercial Register. Important letters are always signed by two persons — resulting in two illegible signatures. However, one can always refer to the signature on the left as **"der Linksunterzeichnete"** and to the signature on the right as **"der Rechtsunterzeichnete."**

Finanzamt/ Außenstelle

Fallgruppe

Zutreffendes ankreuzen ☒ oder ausfüllen

☐ Antrag auf Lohnsteuer-Jahresausgleich

☐ Einkommensteuererklärung

☐ Mit Einkommensteuererstattung wird gerechnet

19__

Grün umrandete Felder nur vom Finanzamt auszufüllen

Kenn-Nr. des Jahres 1978 / Aktenzeichen

Steuernummer

12	Nummer	15	79	11	FA-Nr.	Steuernummer	10	79	4

Eingangsstempel

99	10	Allgemeine Angaben Steuerpflichtiger/Ehemann	BP-Fall	Gesellschafter	Kst. § 13a EStG	Arbeitnehmer	Pfändg./ Abtretg.	Fristablauf

Telefonisch erreichbar unter Nr.

Zeile

2 ☐ 11 Familienname, Namenszusätze

Geburtsdatum 72 Tag Monat Jahr Religion

3 ☐ 13 Vorname, Titel

Ausgeübter Beruf

4 ☐ 22 Straße und Hausnummer

Anschrift wie 1978? Ja — Anrede 10 — 33 — Bankenschl.

Postleitzahl

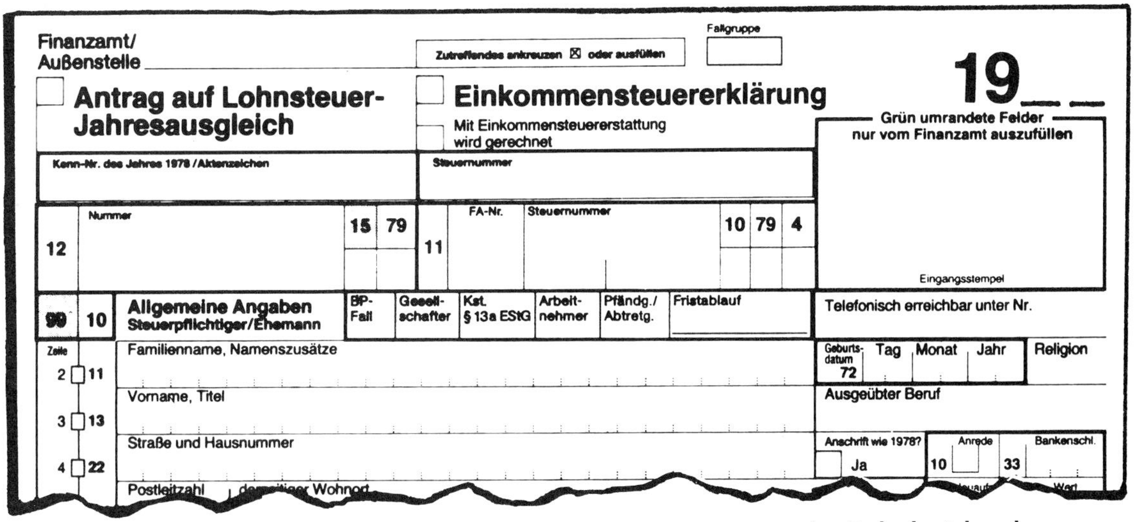

Andrea braucht eine Lohnsteuerkarte

Andrea ist zum Finanzamt° gegangen, um sich eine Lohnsteuerkarte zu besorgen°. Da hat es anfangs einige Schwierigkeiten gegeben, denn die Lohnsteuerkarte wird nämlich immer von der Gemeinde° ausgestellt°, in der man am 20. September des Vorjahres seinen Wohnsitz° hatte. Und für Andrea war der Wohnsitz der Staat Wisconsin!

Auf der Lohnsteuerkarte, die dem Arbeitgeber° vor Arbeitsantritt ausgehändigt° werden muss, ist folgendes vermerkt°: Name, Geburtsdatum, Familienstand° (ledig°, verheiratet°), Religionszugehörigkeit° (evangelisch, katholisch, sonstig°)[2] und die Steuerklasse° (I, II, III, usw.)[3]

Diese Daten sind für den Arbeitgeber für die Berechnung° der Lohnsteuer unentbehrlich.

Am Ende des Jahres kann Andrea einen Antrag auf Lohnsteuer–Jahresausgleich ausfüllen und vielleicht einen Teil ihrer Steuern zurückbekommen.

WORTSCHATZ UND REDEWENDUNGEN

das Anfangsgehalt, ¨-er *starting salary*
der Anstellungsvertrag, ¨-e *employment contract*
der Arbeitgeber, - *employer*
die Berechnung, -en *computation*
der Familienstand *marital status*
der Ferientag, -e *vacation day*
das Finanzamt, ¨-er *tax office (Internal Revenue Service)*
die Gemeinde, -n *municipality*

das Finanzamt *tax office;* s. besorgen *to get, procure something;* die Gemeinde *municipality;* ausstellen *to issue (a document);* der Wohnsitz *residence;* der Arbeitgeber *employer;* aushändigen *to submit to;* vermerken *to note;* der Familienstand *marital status;* ledig *single;* verheiratet *married;* die Religionszugehörigkeit *religious affiliation;* sonstig *other;* die Steuerklasse *tax classification;* die Berechnung *computation*

[2] This information is important since all employees must pay a church tax. See footnote page 74.
[3] There are six tax classifications. Single employees like Andrea are in tax class 1.

die **Jahreshälfte**   *half of the year*

die **Lohnsteuer, -n**   *personal income tax*

die **Lohnsteuerkarte, -n**   *identification card for income tax purposes*

die **Religionszugehörigkeit**   *religious affiliation*

die **Steuerklasse, -n**   *tax category*

der **Urlaubstag, -e**   *vacation day*

das **Vorjahr, -e**   *previous year*

der **Wohnsitz, -e**   *residence*

aushändigen   *to hand over*

ausstellen   *to issue (a document)*

s. besorgen   *to get, procure*

betragen (ä, u, a)   *to amount to*

gewähren   *to grant*

mitteilen   *to inform*

vermerken   *to note*

eine Stelle antreten   *to start a job*

evangelisch   *Protestant*

katholisch   *Catholic*

ledig   *single (not married)*

praktisch   *practical(ly)*

sonstig   *other*

unentbehrlich   *indispensable*

verheiratet   *married*

anfangs   *initially*

bei Ihrem Arbeitsantritt   *when you start working*

(200 Mark) im Monat   *(200 marks) a month*

- **Wo bekomme ich die Lohnsteuerkarte?**
  Where do I get my income tax identification card?
- **Sie wird von der Gemeinde ausgestellt, in der Sie im Vorjahr Ihren Wohnsitz hatten.**
  It is issued by the municipality in which you had your legal residence last year.
- **Sie müssen die Lohnsteuerkarte vor Arbeitsantritt aushändigen.**
  You must submit your income tax identification card before you start working.
- **Ihr Familienstand? – Ledig.**
  What's your marital status? – Single.
- **Was ist Ihre Religionszugehörigkeit? – Evangelisch.**
  What's your religious affiliation? – Protestant.
- **In welcher Steuerklasse sind Sie? – In Steuerklasse I.**
  What's your tax classification? – Class 1.

Fragen zum Inhalt

1. Was steht alles im Anstellungsvertrag, den Andrea von der Firma Backhaus erhalten hat?
2. Was muss sich aber Andrea zuerst noch besorgen?
3. Warum hatte sie einige Schwierigkeiten, die Lohnsteuerkarte sofort zu bekommen?
4. Was wird alles auf der Lohnsteuerkarte vermerkt?
5. Wozu sind diese Daten wichtig?

Fragen zum Überlegen und Diskutieren

1. Was braucht ein amerikanischer Arbeitgeber von Ihnen, bevor er Sie anstellen kann?
2. Diskutieren Sie, was bei der Berechnung der amerikanischen Lohnsteuer von Wichtigkeit ist!

Andrea geht auf Zimmersuche | 9

Andrea muss nun ernsthaft auf Zimmersuche° gehen. Sie hat jetzt eine Arbeit für das nächste Jahr, d.h.°, dass sie aus ihrem Zimmer im Studentenheim ausziehen° muss. Hier dürfen nur Studenten wohnen, die im Studienjahr immatrikuliert° sind.

Am Schwarzen Brett in der Mensa° der Uni hat Andrea viele Anzeigen gelesen. Was einem dort alles angeboten° wird! Nur war das Angebot° an Zimmern nicht sehr gross. Die meisten Zettel° waren von Studenten, die ein eigenes Zimmer suchen.

---

auf Zimmersuche gehen *to go room hunting;* d.h. (das heisst) *i.e. (that is);* ausziehen *to move out;* immatrikulieren *to matriculate at a university;* die Mensa *student cafeteria;* Was . . . angeboten wird! *It's amazing to see all the different things being offered;* das Angebot *offer;* der Zettel *note*

Auf dem Weg zur Uni kauft sich Andrea zwei Zeitungen. Sie setzt sich damit auf den Rand° vom Brunnen vor der Universität. Sie schaut vor der Vorlesung° noch schnell mal nach, ob darin etwas für sie ist. Aber leider! Wenige° Angebote und meistens auch zu teuer.

---

der Rand *edge;* die Vorlesung *lecture;* wenige *few*

Andrea hat sich heute am Samstag zwei Tageszeitungen ge-
kauft; in den Wochenendausgaben° sind besonders viele Anzeigen
drin. Nur sind die vielen Abkürzungen° für sie verwirrend°. Was
bedeuten sie nur?

Damit Sie beim Lesen keine Schwierigkeiten haben, haben wir
Ihnen eine kleine Hilfe gegeben.

Abkürzungen

sep.: separat(es); **Zi.:** Zimmer; **möbl.:** möbliert(es); **ZH.:** Zentralheizung; **wW.:** warmes Wasser; **sof.:** sofort; **m.:** mit; **u.:** und; **S 1:** S-Bahn 1[1] **tägl.:** täglich; **Std.:** Stunde; **Nä:** Nähe; **Kü:** Küche; **verm.:** vermieten; **Zuschr.:** Zuschriften; (inquiries)[2] **freundl.:** freundlich(es); **Wochenendheimf.:** Wochenendheimfahrer[3]; **Küchenbenutz.:** Küchenbenutzung; **SZ:** Süddeutsche Zeitung; **geg.:** gegen; **Mü.:** München; **mögl.:** möglichst; **f.:** für; **solid.:** solid(en) (reliable); **Woch.:** Wochenend; **Heimf.:** Heimfahrer; **h.:** Uhr; **Wochenendf.:** Wochenendfahrer; **sch.:** schön(es); **fr.:** frei; **berufst.:** berufstätig(en) (employed); **Nichtrauch.:** Nichtraucher.

Andrea hat ein paar Anzeigen gefunden, die gar nicht so
schlecht klingen.

Aber da ist eine, die ihr besonders gut gefällt.

die Wochenendausgabe *weekend edition;* die Abkürzung *abbreviation;* verwirrend *confusing;* Badbenutz.: Badbenutzung[4]; bes.: besonderes; Int.: Interesse; engl.: englisch; sprech.: sprechende; Stud.: Studentin

[1] Munich has an efficient public transportation system consisting of **S-Bahn, U-Bahn,** buses, and streetcars. The **S-Bahn** connects Munich with the surrounding towns, some up to 30 kilometers away.

[2] **Zuschriften** means that the interested party is requested to send a letter to the newspaper in which the ad was placed. Reference must be given to the number listed in the ad.

[3] Some families will only take roomers who are always gone over the weekend; others will take only non-smokers.

[4] In most German homes the toilet, **Toilette** (and usually a small sink for washing one's hands), is separate from the bathroom, **Badezimmer. Das Badezimmer** contains the sink and bathtub. If use of the **Badezimmer** is not included in the room rental, the room probably has a sink for washing, but the roomer would have to go to the **Stadtbad** to take a bath. **Das Stadtbad** has a large swimming pool as well as separate little rooms with bathtubs where one can bathe.

Andrea ruft sofort an. Sie hat Glück. Das Zimmer ist noch nicht vermietet. Es ist in der Viktoria Strasse, gleich am Bonner Platz. Da ist auch eine U-Bahn Station. Die Frau am Apparat rät° der Andrea, noch heute vorbeizukommen, wenn sie sich das Zimmer ansehen will. Acht Leute hätten schon angerufen, und zwei hätten sich das Zimmer schon angesehen.

Andrea zieht sich schnell um und fährt mit der U-Bahn zum Platz der Münchner Freiheit. Hier steigt sie um und fährt mit der U 3 eine Station weiter bis zum Bonner Platz. In der Viktoria Strasse 30 klingelt sie bei Vogt. Ob sie das Zimmer bekommen wird?

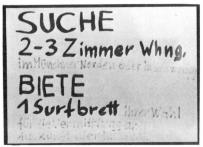

WORTSCHATZ UND REDEWENDUNGEN

die Abkürzung, -en *abbreviation*
die Anzeige, -n *ad*
die Badbenutzung *use of bath (see fn p 39)*
die Küchenbenutzung *kitchen privileges*
die Mensa *student cafeteria*
der Rand, ⸚er *edge*
die Vorlesung, -en *lecture*
die Wochenendausgabe, -n *weekend edition*
die Zentralheizung, -en *central heating*

der Zettel, - *slip of paper*
die Zuschrift, -en *letter, inquiry*

anbieten (o, o) *to offer*
ausziehen (o, o) *to move out*
immatrikulieren *to matriculate*
mieten *to rent*
raten (ä, ie, a) *to advise*
vermieten *to rent (to somebody)*

---

raten *to advise*

auf Zimmersuche gehen *to go room hunting*	**verwirrend** *confusing*	
berufstätig *employed*	**wenige** *few*	
ernsthaft *earnest(ly)*	**das Angebot an Zimmern** *available rooms*	
möbliert *furnished*	**d.h. (das heisst)** *i.e. (that is)*	

- **Ich habe Ihre Anzeige in der Zeitung gelesen. Ist das Zimmer noch frei?**
  I read your ad in the paper. Is the room still available?
- **Ich suche ein nettes Zimmer mit eigenem Bad.**
  I'm looking for a nice room with a bath.
- **Ich suche ein möbliertes Zimmer in ruhiger Lage.**
  I'm looking for a furnished room in a quiet neighborhood.
- **Das Zimmer hat Zentralheizung, und Sie können die Küche mitbenutzen.**
  The room has central heating, and you can use the kitchen.
- **Das Zimmer ist ab 15.8. zu vermieten. Aber nur an Nichtraucher!**
  The room is available as of August 15th. But only to nonsmokers!

Fragen zum Inhalt

1. Warum muss Andrea aus dem Studentenheim ausziehen?
2. Was muss sie deshalb tun?
3. Was macht sie in der Mensa der Uni?
4. Was tut sie dann, bevor sie in die Vorlesung geht?
5. Was hat sich Andrea am Samstag gekauft?
6. Was ist für sie verwirrend?
7. Welche Anzeige gefällt der Andrea besonders gut?
8. Was tut Andrea sofort?
9. Wo befindet sich das Zimmer?
10. Was rät ihr die Frau Vogt?

Fragen zum Überlegen und Diskutieren

1. Sehen Sie sich die Abkürzungen auf Seite 39 an, merken Sie sich deren Bedeutungen und bilden Sie Sätze mit diesen!
2. Lesen Sie die Anzeigen „Zimmer zu vermieten" auf Seite 39, und diskutieren Sie einige Anzeigen! Welches Zimmer würden Sie sich aussuchen?
3. Erzählen Sie, was für ein Zimmer Sie sich suchen würden, wenn Sie eines Tages Student sind!

Aufgaben

1. Sie haben oder jemand, den Sie kennen, hat ein Zimmer zu vermieten. Sie schreiben jetzt einige Anzeigen dafür, die in der Zeitung in der Spalte „Zimmer zu vermieten" erscheinen sollen.
2. Schreiben Sie ein paar witzige Anzeigen, worüber andere lachen können!
3. Sie suchen ein Zimmer und setzen eine Anzeige in die Zeitung. Beschreiben Sie, was Sie suchen, und gebrauchen Sie Abkürzungen, damit die Anzeige nicht so teuer wird!

10 | Der erste Arbeitstag

Am 23. Juli pünktlich um 7.30 Uhr betritt° Andrea das Personalbüro der Firma Backhaus. Herr Richter ist zufällig° im Büro; er erkennt Andrea sofort und begrüsst sie.

Andrea muss zuerst ein langes Formular ausfüllen und Angaben° über ihre Person machen. Sie unterschreibt dieses Formular. Dann muss sie ein zweites Formular unterschreiben: das ist die Anmeldung° für die Allgemeine Ortskrankenkasse[1]. Herr Richter nimmt dann Andreas Steuerkarte° und steckt alle Unterlagen° in die Akte°.

Andrea an der Stechuhr°[2] – ihr erster Arbeitstag beginnt

betreten *to enter;* zufällig *by chance;* Angaben machen *to give information;* die Anmeldung *registration;* die Steuerkarte *tax information card;* die Unterlagen (pl) *documents;* die Akte *file (folder);* die Stechuhr *time clock*

[1] The **Allgemeine Ortskrankenkasse (AOK)** is a large health insurance company. Employers must provide health insurance for employees having a monthly income of less than 3525 DM (1982); employees earning more than this amount must arrange for their own health insurance with a private insurance company.
[2] Many companies, especially those on flex time (see Chapter 24), have time clocks and employees are required to punch in and out on timecards.

"Noch eins°, Fräulein Krueger! Sie müssen sich ein Girokonto einrichten°. Bei einer Bank oder bei der Post. Wir überweisen° die Gehälter° auf die Konten unserer Mitarbeiter. Sie müssen mir dann bald noch Ihre Kontonummer geben und die Adresse der Bank. —So, und jetzt bringt Sie meine Sekretärin zu Herrn Hammer. Viel Glück bei der Arbeit!"

"Ach ja, Fräulein Krueger! Hier hab' ich grad einen Prospekt von dieser Bank. Wenn Sie das Angebot° interessiert, so rufen Sie doch mal an! Vielleicht ist auch grad eine Filiale von dieser Bank in Ihrer Nähe!"

Konto klar?

Zuerst mal herzlichen Glückwunsch zum erfolgreichen Schulabschluß. Für den Start ins Berufsleben wollen wir das Unsere dazu tun, daß alles klar ist, wenn es losgeht. Durch ein Girokonto. Das ist mehr als ein Gehaltskonto: der Schlüssel zur Vermögensbildung, zum Scheckheft und zum Kredit. Also – vorbeikommen und Konto klarmachen. Bis bald.

Ihr Geldberater

Wenn's um Geld geht – Sparkasse

noch eins *one more thing;* ein Girokonto einrichten *to open a checking account;* überweisen *to transfer;* das Gehalt *salary;* das Angebot *offer*

die Akte, -n *file, file folder*
das Angebot, -e *offer*
die Anmeldung, -en *registration*
der Arbeitstag, -e *work day, day of work*
das Gehalt, ⁻er *salary*
das Konto, Konten *account*
die Person, -en *person*
das Personalbüro, -s *personnel office*
der Prospekt, -e *prospectus*
die Stechuhr, -en *time clock*
die Steuerkarte, -n *tax information card*
die Unterlagen (pl) *documents, records*

betreten (i, a, e) *to enter*

bringen zu (a, a) *to take to*
überweisen (ie, ie) *to transfer*

Angaben machen über A *to give information about*
ein Formular ausfüllen *to fill in a form*
ein Girokonto einrichten *to open a checking account (see fn p 60)*
er ist zufällig im Büro *he happens to be in the office*

noch eins *one more thing*
zufällig *by chance*

- **Füllen Sie zuerst dieses Formular aus und unterschreiben Sie es!**
  First fill out this form and sign it, please.
- **Ich stecke alle Unterlagen in die Akte.**
  I'll put all the information in a file folder.
- **Sie müssen sich ein Girokonto einrichten.**
  You must open a bank account.
- **Wir überweisen Ihr Gehalt auf Ihr Konto.**
  We transfer your salary to your bank account.
- **Wenn Sie das Angebot interessiert, rufen Sie die Bank an!**
  If you are interested in the offer you should call the bank.

Fragen zum Inhalt

1. Was passiert am 23. Juli?
2. Was tut Herr Richter, als er Andrea erkennt?
3. Was muss Andrea zuerst tun?
4. Warum unterschreibt sie ein zweites Formular?
5. Was macht Herr Richter mit der Steuerkarte und den Formularen?
6. Was muss Andrea auch noch tun? Warum?
7. Was gibt Herr Richter der Andrea?
8. Was steht auf diesen Formularen?

Aufgabe

Sie möchten ein Konto einrichten. Ein Mitschüler ist der Bankangestellte. Rufen Sie die Bank an! Sagen Sie, dass Sie den Prospekt gelesen haben und sich für das Angebot interessieren.

Ein anderes Büroklima | 11

Andrea arbeitet mit sieben anderen Mitarbeitern in einem Grossraumbüro°. Am Antrittstag° stellte sie Herr Hammer, der Abteilungsleiter, den 3 Kollegen und 4 Kolleginnen vor. Andrea war so aufgeregt°; sie konnte die Namen der einzelnen Kollegen nicht behalten°. Und was sie später im Büro hörte—nämlich wie sich die einzelnen Kollegen anredeten°—war für sie sehr verwirrend°.

In deutschen Büros reden sich die Mitarbeiter im allgemeinen° mit Herr, Frau oder Fräulein und dem Nachnamen° an: Herr Brandt, Frau Seiler, Fräulein Huber. Kennt man sich etwas länger, so wird für unverheiratete° Frauen auch das Fräulein mit dem Vornamen benutzt: Frl. Bärbel, Frl. Sigrid—aber nie Herr Günter, es sei denn° Günter ist der Nachname!

das Grossraumbüro *large office with many desks in one room;* der Antrittstag *first day of work;* aufgeregt *excited;* behalten *to remember;* (s.) anreden *to address (each other);* verwirrend *confusing;* im allgemeinen *in general;* der Nachname *last name;* unverheiratet *unmarried;* es sei denn *unless*

Und im allgemeinen siezt° man sich auch. Man hält Abstand°, man verhält sich distanziert. Das „Du" gebrauchen höchstens Mitarbeiter—und mehr so die jüngeren—die sich schon lange kennen und die auch ausserbetrieblichen° Kontakt miteinander haben, die zusammen vielleicht zum Kegeln gehen° oder zum Schilaufen.

Chefs werden durchwegs° mit dem Nachnamen angeredet. Wenn sie akademische Titel haben, so werden diese selbstverständlich benutzt: Herr Doktor Maier, Frau (Fräulein) Doktor Arndt.

Angestellte, die einen beruflichen Titel haben, werden mit diesem Titel angeredet: Herr Prokurist°[1] (besonders in Banken), Frau Direktor; Könnte ich bitte mit Herrn (Frau) Direktor Seibert sprechen?

Andrea hat sich eigentlich schnell an die anderen Gepflogenheiten° gewöhnt, die in einem Büro beachtet werden. Sie hat es sich angewöhnt°, jedem schön° die Hand zu geben: Schönen guten Morgen, Frau Weiss! Auch fragt sie nicht mehr, wie es ihr geht.

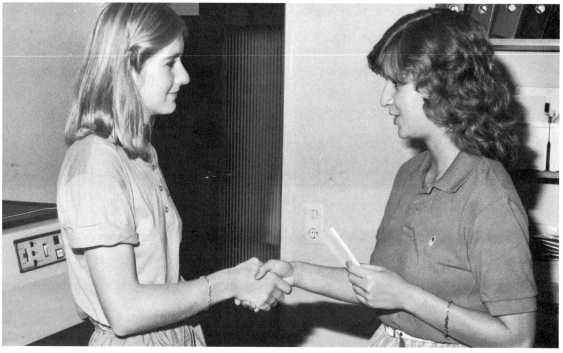

---

s. siezen *to say "Sie" to one another;* Abstand halten *to keep one's distance;* ausserbetrieblich *outside the office, after hours;* zum Kegeln gehen *to go bowling;* durchwegs *without exception, always;* der Prokurist *person authorized to sign on behalf of the firm;* die Gepflogenheit *custom;* s. angewöhnen *to get used to;* sie gibt jedem schön die Hand *she shakes hands with everyone as is expected*

---

[1] See footnote page 34.

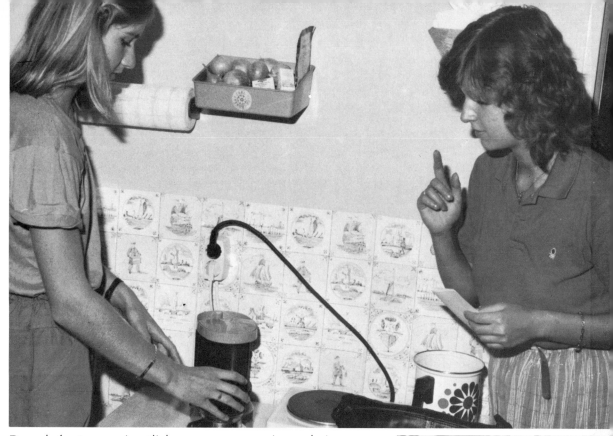

Danach fragt man eigentlich nur, wenn man jemand eine ganze Zeitlang nicht gesehen hat oder wenn man weiss, dass jemand krank war. Und am Abend wiederholt sich das gleiche Zeremoniell: Hand geben, auf Wiedersehen sagen, schönen Abend wünschen.[2]

Da die Türen zu einzelnen Büros immer zu sind, klopft Andrea natürlich an, bevor sie ein anderes Büro betritt. Sie hat es sich abgewöhnt°, das Fenster zu öffnen, auch wenn es allen zu warm und die Luft zum Schneiden ist. Jedesmal, wenn die Tür aufging, rief dann immer einer: Fenster zu! Es zieht°! —Frischluftnarren° scheinen also nicht in Büros zu arbeiten!

Und in der Frühstückspause macht Andrea auch mit. Sie hat es für ratsam gehalten°, wöchentlich eine Mark fünfzig in die Kaffeekasse° zu werfen, obwohl sie Kaffee überhaupt nicht gerne trinkt. Sie wollte sich nicht ausschliessen°; sie hat es sich vorgenommen°, kein Aussenseiter zu sein und sich so zu benehmen, wie die anderen Kollegen. Aber eines wird sie wohl nicht können: so eine

s. abgewöhnen *to give up;* es zieht! *there's a draft!;* der Frischluftnarr *fresh air nut;* für ratsam halten *to think advisable;* die Kaffeekasse *coffee kitty;* s. ausschliessen *to exclude oneself;* s. vornehmen *to make up one's mind*

[2] The habit of handshaking with everyone in the office is gradually disappearing and now often restricted to the person whose desk is the closest.

Ein anderes Büroklima   47

BACKHAUS
Essen-Marke

6. SEPT.

Für die Woche . . . .

kräftige° Brotzeit³ essen wie ihre Kollegen. Für nächste Woche ist Andrea schon zum Küchendienst° eingeteilt° worden — Geschirr spülen und Kaffeetopf auswaschen!

Und mittags in der Kantine° geht alles wie am Schnürchen°. Andrea geht mit vier anderen um 12 Uhr aus dem Büro zum Mittagessen. Die andern gehen um halb eins. Wer nicht pünktlich ist, bekommt keine Suppe mehr. Man kann zwischen zwei Gerichten° wählen, und wenn einem etwas gar nicht schmeckt, braucht man an diesem Tag nicht in die Kantine zu gehen. Dann verfällt° eben die Essenmarke°⁴. Und um 20 nach 12 wird schon abgeräumt. Die Servierhilfe muss die Tische sauber und neu gedekt haben für die andere Schicht°, die pünktlich um 12.30 Uhr erscheint°.

◤◤◤ WORTSCHATZ UND REDEWENDUNGEN ◢◢◢

der Antrittstag, -e *first day of work*
der Aussenseiter, - *outsider*
das Büroklima *office climate*
die Essenmarke, -n *meal ticket*
der Frischluftnarr, -en *fresh air nut*
die Gepflogenheit, -en *custom*
das Gericht, -e *dish, meal*
das Grossraumbüro, -s *large office with many desks in one room*
die Kaffeekasse, -n *coffee kitty, fund*
die Kantine, -n *employee cafeteria*
der Kontakt, -e *contact*
der Küchendienst *kitchen duty*
der Nachname, -n *last name*
der Prokurist, -en *person authorized to sign on behalf of the firm*
die Schicht, -en *shift*
der Titel, - *title*
das Zeremoniell *ceremony*

s. etwas abgewöhnen D *to give up*
s. etwas angewöhnen D *to get used to*
s. anreden *to address each other*

s. ausschliessen (o, o) *to exclude oneself*
behalten (ä, ie, a) *to remember*
einteilen *to assign*
erscheinen (ie, ie) *to appear*
fragen nach *to inquire about*
s. siezen *to say ''Sie'' to one another*
verfallen (ä, ie, a) *to expire*
s. vornehmen (i, a, o) *to make up one's mind*

Abstand halten *to keep one's distance*
s. distanziert verhalten *to keep one's distance*
es zieht! *there's a draft!*
für ratsam halten *to think advisable*
wie am Schnürchen gehen *to go like clockwork*
zum Kegeln gehen *to go bowling*

akademisch *academic*
aufgeregt *excited*
ausserbetrieblich *outside the office, after hours*
beruflich *professional*

---

kräftig *hearty;* der Küchendienst *kitchen duty;* einteilen *to assign;* die Kantine *cafeteria;* wie am Schnürchen gehen *to go like clockwork;* das Gericht *dish;* verfallen *to expire;* die Schicht *shift;* erscheinen *to appear*

---

³ Since many office workers start as early as 7:00 or 7:30 AM they often eat a hearty mid-morning snack.
⁴ Many companies provide a reasonably-priced hot meal, since in Germany the main meal of the day is customarily eaten at midday. Meal tickets often have to be bought for an entire week in advance. A date is stamped on each ticket, and it can be used only on that day.

einzeln	*individual*	**durchwegs**	*without exception, always*
kräftig	*hearty*	**eine ganze Zeitlang**	*quite a while*
unverheiratet	*unmarried*	**es sei denn**	*unless*
verwirrend	*confusing*	**im allgemeinen**	*in general*

- **Wie reden Sie sich im Büro an?**
  How do you address each other in your office?
- **Siezen sich die meisten Kollegen, oder duzen sie sich?**
  Do most of your colleagues say "Sie" or "du" to each other?
- **Die jüngeren duzen sich und auch die, die sich schon lange kennen.**
  The younger ones say "du" to each other and also those who have known each other for a long time.
- **Wie wird der Chef angeredet?**
  How do you address the boss?
- **Haben Sie sich an das Büroklima gewöhnt?**
  Have you gotten used to the office climate?
- **Ich habe mir vieles angewöhnt und auch einiges abgewöhnt.**
  I have gotten used to many things and I got out of the habit of doing a number of things.
- **Ich hab' mir vorgenommen, kein Aussenseiter zu sein.**
  I've made up my mind not to be an outsider.

Fragen zum Inhalt

1. Arbeitet Andrea allein in einem Büro?
2. Was macht Herr Hammer an ihrem Antrittstag?
3. Was ist sehr verwirrend für Andrea?
4. Wie reden sich die Mitarbeiter im Büro im allgemeinen an?
5. Wie redet man sich an, wenn man sich etwas länger kennt?
6. Wie steht es mit dem ,,Sie" und ,,Du"?
7. Wie redet man Chefs an?
8. Wie redet man Angestellte an, die einen beruflichen Titel haben?
9. An welche Gepflogenheiten hat sich Andrea schnell gewöhnt?
10. Was hat sie sich abgewöhnt?
11. Wobei will Andrea kein Aussenseiter sein?
12. Woran wird sie sich wohl nie gewöhnen können?
13. Wozu ist sie für nächste Woche eingeteilt worden?
14. Wie geht es in der Kantine zu?

Fragen zum Überlegen und Diskutieren

1. Welche Vor- und Nachteile hat ein Grossraumbüro?
2. Was halten Sie davon, wie sich die Mitarbeiter in deutschen Büros im allgemeinen anreden? Welche Vor- und Nachteile erkennen Sie?
3. Diskutieren Sie Andreas Verhalten im Büro! Würden Sie etwas anders machen als Andrea?

12 | Andreas Aufgaben im Büro

Die Aufgaben, die Andrea im Büro zu verrichten° hat, sind verhältnismässig einfach. Der Chef erklärt ihr alles gut, und die Kollegen geben ihr auch gerne Auskunft, wenn sie etwas vergessen oder nicht perfekt verstanden hat.

Andrea muss aber immer wieder feststellen°, dass es doch noch viele Wörter gibt, Wörter der Büro- und der Geschäftsprache, die sie nicht kennt. Neulich° wollte sie eine neue Schreibunterlage° für ihren Schreibtisch haben. ,,Aber wie heisst denn dieses Ding auf deutsch?'' Das musste ihr zuerst jemand sagen.

verrichten *to perform;*   feststellen *to realize;*   neulich *recently;*   die Schreibunterlage *desk pad*

Andreas Arbeitsplatz

Der Arbeitsplatz eines Büromitarbeiters besteht aus einem Schreibtisch und einem Stuhl. Schreibtische sind heute standardisiert, die Tischplatte° misst 156 x 78 cm, die Tischhöhe beträgt 75 cm. Oft gibt es im Schreibtisch keine Mittelschublade° mehr, um bessere Beinfreiheit° zu gewährleisten°.

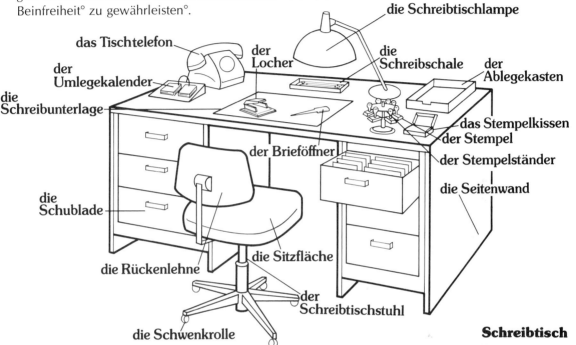

Schreibtisch

Da Büroarbeit vorwiegend° sitzend ausgeübt° wird, ist der Büroarbeitsstuhl besonders wichtig. Aufgrund° arbeitswissenschaftlicher Erkenntnisse° und gesetzlicher° Vorschriften müssen Arbeitsstühle folgende Forderungen° erfüllen:

a. stufenlose verstellbare Sitzhöhe° zwischen 42 und 53 cm
b. Sitzfederung°
c. waagrechte und senkrechte Lehnenverstellung° mit beweglicher Rückenlehne°
d. drehbares Stuhloberteil°
e. gepolsterte, muldenförmige Sitzfläche°
f. fünf Schwenkrollen°

---

die Tischplatte *table top;* die Mittelschublade *center drawer;* die Beinfreiheit *leg room;* gewährleisten *to insure;* vorwiegend *for the most part;* ausüben *to perform;* aufgrund *on the basis of;* arbeitswissenschaftliche Erkenntnisse *scientific studies examining the work place;* gesetzlich *legal;* die Forderung *requirement;* stufenlose verstellbare Sitzhöhe *chair height adjustable without gradations anywhere (between 42 and 53 cm);* die Sitzfeder *cushioning;* waagrechte *und* senkrechte Lehnenverstellung *horizontal and vertical chair back adjustment;* bewegliche Rückenlehne *movable backrest;* drehbares Stuhloberteil *revolving seat;* gepolsterte, muldenförmige Sitzfläche *upholstered, trough-shaped seat;* die Schwenkrolle *caster*

Ihre Schreibmaschine

der Walzenknopf

der Papierhalter

der Wagen

das Tastenfeld

die Leertaste

der Umschalter

Schreibmaschine

Andrea kann gut maschineschreiben; sie hat schon maschine-geschrieben, als sie 12 Jahre alt war. Heute schreibt sie über 200 Anschläge[1] in der Minute. Nur ab und zu macht sie noch einen „alten" Fehler, wenn sie das „Y" mit dem „Z" verwechselt°, aber sonst ist das Tastenfeld° auf einer deutschen Schreibmaschine genau so wie auf einer amerikanischen.

Es sind eben wieder die Fachausdrücke°, die sie lernen muss, Ausdrücke wie Randsteller°, Umschalter°, Leertaste° usw. Sie hat sich daher die Gebrauchsanleitung° für ihre elektrische Schreib-maschine mit nach Hause genommen und diese genau durch-studiert.

---

verwechseln *to mistake (for);* das Tastenfeld *keyboard;* der Fachausdruck *technical term;* der Randsteller *margin setter;* der Umschalter *shift;* die Leertaste *spacer;* die Gebrauchsanleitung *instructions*

---

[1] See footnote 2 on page 19.

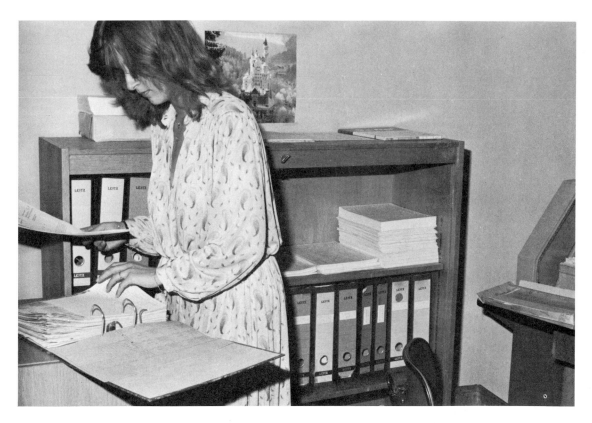

Ablage machen° (Schriftgutablage°)

Die Kommunikation in der Geschäftswelt wird schriftlich festgehalten°. Dieses sogenannte Schriftgut wird geordnet° und sorgfältig° aufbewahrt, so dass man jederzeit darauf zurückgreifen° kann. Zu dem Zweck der Aufbewahrung von Schriftgut werden Registraturen° eingerichtet°, die das „Gedächtnis°" der Betriebsverwaltung° bilden°.

Eine geordnete Schriftgutaufbewahrung ist nicht nur aus innerbetrieblichen Gründen notwendig; der Gesetzgeber° schreibt sie vor°. Handelsbücher, Bilanzen und Inventar müssen 10 Jahre aufbewahrt werden, Handelsbriefe und Buchungsbelege° 7 Jahre.

Andrea muss nun lernen, nach welcher Art die Ablage in ihrer Abteilung erfolgt°. Hier werden alle Buchungsbelege nach der Auftragsnummer° abgelegt°. Die Korrespondenz, die nichts mit Kundenaufträgen zu tun hat, wird nach dem Alphabet abgelegt.

Ablage machen *to file (business papers)*;   die Schriftgutablage *filing of correspondence*;   schriftlich festhalten *to retain in writing*;   ordnen *to sort*;   sorgfältig *careful(ly)*;   zurückgreifen auf *to refer to*;   die Registratur *central file, records department*;   einrichten *to set up*;   das Gedächtnis *memory*;   die Betriebsverwaltung *administration*;   bilden *to form*;   der Gesetzgeber *legislator*;   vorschreiben *to prescribe, specify*;   der Buchungsbeleg *voucher (for bookkeeping)*;   erfolgen *to take place*;   die Auftragsnummer *order number*;   ablegen *to file (letters)*

| Markus |
| Mehner |
| Meier |
| Meifert |
| Mödinger |
| Moll |
| Moser |
| Müller |
| Muhl |
| Mußbach |
| Mussner |

Hier tat Andrea sich anfangs schwer°. Die alphabetische Ordnung wurde vom Deutschen Normenausschuss in DIN[2] 5007 festgelegt, und Andrea musste die namenalphabetische Ordnung erst lernen.

Hier sind einige Beispiele:

1. Für die alphabetische Ordnung ist die Buchstabenfolge des Alphabets massgebend°. Sind die ersten Buchstaben gleich, richtet° sich die Einordnung° nach den zweiten; sind diese gleich, nach den dritten usw.
2. Die Umlaute **ä, ö, ü** werden wie **ae, oe, ue** behandelt° und dementsprechend° eingeordnet.
3. *ß* gilt als **ss.** usw.

---

s. schwertun *to have a hard time;*   massgebend sein für *to be the determining factor;*   s. richten nach *to go, be determined by;*   die Einordnung *classification;*   behandeln *to treat*   dementsprechend *accordingly*

---

[2] **DIN** is a trademark and stands for **Deutsche Industrie Norm.** It is a symbol of the **Deutsche Normenausschuss,** an organization that sets industrial standards, such as paper size, film speed, etc.

Kopieren

Kopieren von Schriftgut ist heutzutage einfach — und sauber, dank der Fotokopie. Man muss beim Fotokopieren eigentlich nur darauf achten, dass einem das Papier nicht ausgeht. Aber dann bleiben die meisten Maschinen sowieso sofort stehen, und ein rotes Lämpchen leuchtet auf, welches anzeigt, dass das Papier alle° ist. In das Zähl-werk° kann man eintasten°, wieviel Kopien erwünscht werden, und man kann auch selbst bestimmen°, ob man die Kopien heller oder dunkler haben möchte.

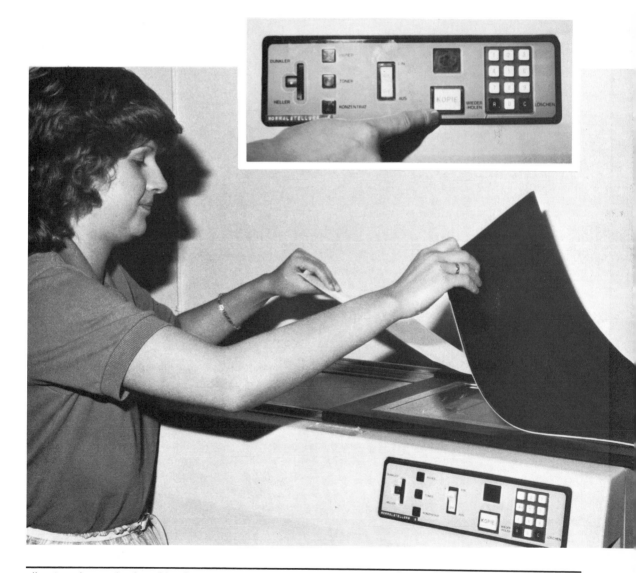

---

alle sein *to be out of;* das Zählwerk *number counter;* eintasten *to press (a button);* bestimmen *to determine*

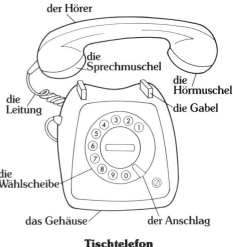

der Hörer

die Sprechmuschel

die Hörmuschel

die Leitung

die Gabel

die Wählscheibe

das Gehäuse

der Anschlag

Tischtelefon

Telefondienst°

In den einzelnen Abteilungen der Firma kommt jeder einmal zum Telefondienst dran. Wer Telefondienst hat, muss das Telefon für die Mitarbeiter beantworten, die gerade einmal von ihrem Schreibtisch weggegangen sind. Wer Telefondienst hat, muss freitags auch bis 16.30 Uhr arbeiten — während die andern schon um 13.30 oder 14.00 nach Hause gehen.

Andrea ist nun zum ersten Mal für übernächste Woche° zum Telefondienst eingeteilt° worden. Obwohl sie den andern Kollegen schon gut zugehört hat und gelernt hat, wie man einen Anruf annimmt („Guten Morgen — Firma Backhaus — Fräulein Krueger am Apparat") und weitergibt, so hat sie doch ein wenig Angst vor dieser neuen Aufgabe, denn oft ist es gar nicht so einfach, die verschiedenen Aussprachen der Leute am andern Ende der Telefonleitung zu verstehen.

Als sie neulich einmal für ihre Kollegin einen Anruf annahm und den Anrufer um seinen Namen bat, kam sie vor lauter Vornamen, die sie plötzlich hörte, doch ganz schön durcheinander°. Sie hörte nur noch am andern Ende: „S wie in Siegfried, Emil, Ida, zweimal Friedrich, wieder Emil, Richard, Theodor." Und als sie dann noch fragte, wie sein Nachname sei, dann bekam sie die lakonische Antwort: „Mensch, Frollein, ich hab' Ihnen doch grade meinen Namen buchstabiert! Ich heisse Seiffert — aber mit zwei f!"

Seit diesem Vorfall° hat sich Andrea schon intensiv mit der Fernsprech-Buchstabiertafel befasst°.

Buchstabier-Tafel

Inland			Ausland		
A	=	Anton	A	=	Amsterdam
Ä	=	Ärger	B	=	Baltimore
B	=	Berta	C	=	Casablanca
C	=	Cäsar	D	=	Danmark
Ch	=	Charlotte	E	=	Edison
D	=	Dora	F	=	Florida
E	=	Emil	G	=	Gallipoli
F	=	Friedrich	H	=	Habanna
G	=	Gustav	I	=	Italia
H	=	Heinrich	J	=	Jerusalem
I	=	Ida	K	=	Kilogramm
J	=	Julius	L	=	Liverpool
K	=	Konrad	M	=	Madagaskar
L	=	Ludwig	N	=	New York
M	=	Martha	O	=	Oslo
N	=	Nordpol	P	=	Paris
O	=	Otto	Q	=	Quebeck
Ö	=	Ödipus	R	=	Roma
P	=	Paula	S	=	Santiago
Q	=	Quelle	T	=	Tripolis
R	=	Richard	U	=	Uppsala
S	=	Siegfried	V	=	Valencia
T	=	Theodor	W	=	Washington
U	=	Ulrich	X	=	Xanthippe
Ü	=	Übermut	Y	=	Yokohama
V	=	Viktor	Z	=	Zürich
W	=	Wilhelm			
X	=	Xanthippe			
Y	=	Ypsilon			
Z	=	Zacharias			

---

der Telefondienst *phone duty;* übernächste Woche *the week after next;* einteilen *to assign;* ganz schön durcheinanderkommen *to get pretty mixed up;* der Vorfall *incident;* s. befassen mit *to examine closely, study*

WORTSCHATZ UND REDEWENDUNGEN

die Ablage *filing (of letters)*
der Arbeitsplatz, ⸚e *work place*
die Aufbewahrung *storage*
die Aufgabe, -n *task*
der Auftrag, ⸚e *order*
die Auftragsnummer, -n *order number*
die Beinfreiheit *leg room*
die Betriebsverwaltung, -en *administration*
die Bilanz, -en *balance-sheet*
der Buchstabe, -n *letter (of the alphabet)*
der Buchungsbeleg, -e *voucher (for bookkeeping)*
die Einordnung, -en *filing, classification*
die Erkenntnisse (pl) *findings, insights*
der Fachausdruck, ⸚e *technical term*
die Forderung, -en *demand*
die Fotokopie, -n *photocopy(ing)*
die Gebrauchsanleitung, -en *instructions*
das Gedächtnis *memory*
die Geschäftssprache *business language*
die Geschäftswelt *world of business*
der Gesetzgeber, - *legislator*
der Handelsbrief, -e *business letter*
das Handelsbuch, ⸚er *commercial ledger*
das Inventar, -e *inventory*
die Kommunikation *communication*
die Kopie, -n *copy*
die Korrespondenz *correspondence*
die Ordnung, -en *order*
die Registratur, -en *central file, records department*
die Rückenlehne, -n *backrest*
die Schreibmaschine, -n *typewriter*
der Schreibtisch, -e *desk*
der Schreibtischstuhl, ⸚e *desk chair*
die Schreibunterlage, -n *desk pad*
das Schriftgut *correspondence*
die Schublade, -n *drawer*
die Schwenkrolle, -n *caster*
die Sitzfläche, -n *seat (of chair)*
das Tastenfeld, -er *keyboard*
der Telefondienst *phone duty*
die Telefonleitung, -en *telephone line*
der Vorfall, ⸚e *incident*

die Vorschrift, -en *specification*
das Zählwerk, -e *number counter*

ablegen *to file (letters)*
aufbewahren *to keep*
aufleuchten *to light up*
ausgehen (i, a) *to run out of*
ausüben *to perform*
s. befassen mit *to examine closely, study*
behandeln *to treat*
bestimmen *to determine*
buchstabieren *to spell*
einrichten *to set up*
eintasten *to press (a button)*
einteilen zu *to assign*
erfolgen *to take place*
festhalten (i, a) *to retain*
feststellen *to find out, realize*
gewährleisten *to insure*
kopieren *to copy*
maschineschreiben, schreibt Maschine, hat maschinegeschrieben *to type*
ordnen *to sort*
s. richten nach *to be determined by*
s. schwertun (a, a) *to have a hard time*
standardisieren *to standardize*
verrichten *to perform*
verwechseln *to mistake (for)*
vorschreiben (ie, ie) *to prescribe, specify*
zurückgreifen auf A (i, i) *to refer to*

Ablage machen *to file (letters)*
alle sein *to be out of*
einen Anruf annehmen *to take a phone call*
einen Anruf weitergeben *to transfer a call*
gleich sein *to be the same*
massgebend sein für *to be the determining factor*
schön durcheinanderkommen *to get pretty mixed up*

alphabetisch *alphabetical(ly)*
beweglich *movable*
drehbar *revolving*
gepolstert *upholstered*

gesetzlich	*legal*	aufgrund	*on the basis of*
intensiv	*intensive*	dementsprechend	*correspondingly*
schriftlich	*written, in writing*	jederzeit	*any time*
senkrecht	*vertical*	neulich	*recently*
sorgfältig	*careful*	verhältnismässig	*relatively*
stufenlos	*without gradations*	vorwiegend	*for the most part*
verstellbar	*adjustable*		
waagrecht	*horizontal*		

Fragen zum Inhalt

1. Wer hilft der Andrea im Büro?
2. Was muss sie aber immer wieder feststellen?
3. Woraus besteht der Arbeitsplatz? Beschreiben Sie ihn!
4. Beschreiben Sie, was für Eigenschaften ein Büroarbeitsstuhl haben muss!
5. Was für einen Fehler macht Andrea immer noch beim Tippen?
6. Was ist das „Gedächtnis" der Betriebsverwaltung?
7. Was schreibt der Gesetzgeber über die Aufbewahrung von Schriftgut vor?
8. Nach welcher Art erfolgt die Ablage in Andreas Abteilung?
9. Wer hat die alphabetische Ordnung festgelegt?
10. Wie werden Umlaute behandelt? Und das „ß"?
11. Was haben Sie alles über das Kopieren von Schriftgut gelesen?
12. Was für Aufgaben hat ein Angestellter, der Telefondienst hat?
13. Warum hat Andrea ein wenig Angst vor dieser Aufgabe?
14. Womit kam Andrea neulich einmal durcheinander?
15. Womit hat sie sich seitdem befasst?

Fragen zum Überlegen und Diskutieren

1. Welche der Aufgaben, die Andrea zu verrichten hat, könnten Sie auch tun?
2. Welche dieser Aufgaben würden Sie am liebsten tun? Warum?
3. Welche würden Sie nicht gern tun? Warum nicht?
4. Diskutieren Sie die einzelnen Anforderungen, die ein Büroarbeitsstuhl erfüllen muss!

Aufgaben

1. Beschreiben Sie den Arbeitsplatz in einem Büro von irgendjemand, den Sie kennen!
2. Sehen Sie in einem Lexikon nach, ob die alphabetische Reihenfolge genauso ist, wie sie in DIN 5007 festgelegt ist!
3. Suchen Sie sich aus Ihrem Textbuch oder aus irgendeiner deutschen Zeitung oder Zeitschrift 20 deutsche Nachnamen aus, und schreiben Sie diese in alphabetischer Reihenfolge auf!
4. Buchstabieren Sie einige dieser Namen nach der Fernsprech-Buchstabiertafel! Buchstabieren Sie Ihren Namen nach der Fernsprech-Buchstabiertafel fürs Inland!

Andrea richtet sich ein Bankkonto ein° | **13**

Andrea hat sich in ihrer Wohngegend am Bonner Platz eine Bank ausgesucht, die ganz in ihrer Nähe ist und die ihr gefällt: eine Filiale der Dresdner Bank[1].

Sie hat dem Filialleiter, Herrn Werner, ihre Wünsche vorgetragen°, und er hat ihr geraten°, ein Persönliches Konto und auch ein Sparkonto einzurichten.

s. ein Bankkonto einrichten *to open a bank account;*   Wünsche vortragen *to make (one's) wishes known;*   raten *to advise*

[1] The **Dresdner Bank** is the 2nd largest bank in the Federal Republic of Germany.

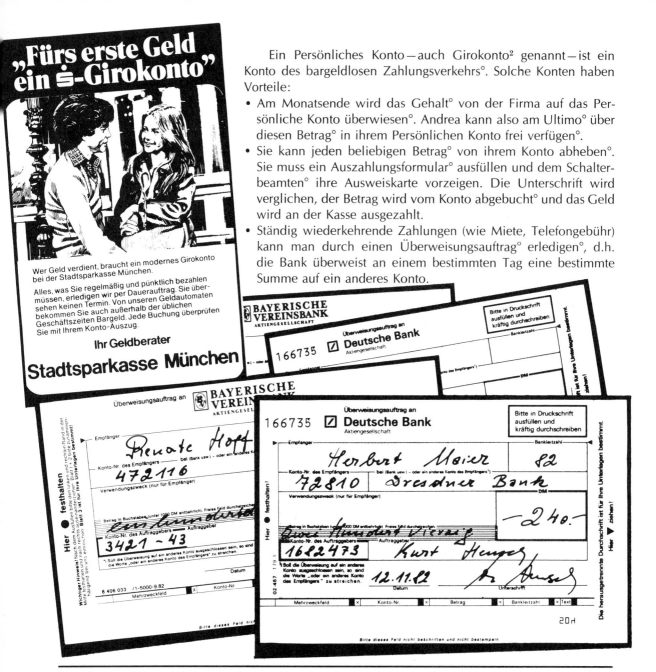

„Fürs erste Geld ein $-Girokonto"

Wer Geld verdient, braucht ein modernes Girokonto bei der Stadtsparkasse München.

Alles, was Sie regelmäßig und pünktlich bezahlen müssen, erledigen wir per Dauerauftrag. Sie übersehen keinen Termin. Von unseren Geldautomaten bekommen Sie auch außerhalb der üblichen Geschäftszeiten Bargeld. Jede Buchung überprüfen Sie mit Ihrem Konto-Auszug.

Ihr Geldberater

Stadtsparkasse München

Ein Persönliches Konto—auch Girokonto[2] genannt—ist ein Konto des bargeldlosen Zahlungsverkehrs°. Solche Konten haben Vorteile:

- Am Monatsende wird das Gehalt° von der Firma auf das Persönliche Konto überwiesen°. Andrea kann also am Ultimo° über diesen Betrag° in ihrem Persönlichen Konto frei verfügen°.
- Sie kann jeden beliebigen Betrag° von ihrem Konto abheben°. Sie muss ein Auszahlungsformular° ausfüllen und dem Schalterbeamten° ihre Ausweiskarte vorzeigen. Die Unterschrift wird verglichen, der Betrag wird vom Konto abgebucht° und das Geld wird an der Kasse ausgezahlt.
- Ständig wiederkehrende Zahlungen (wie Miete, Telefongebühr) kann man durch einen Überweisungsauftrag° erledigen°, d.h. die Bank überweist an einem bestimmten Tag eine bestimmte Summe auf ein anderes Konto.

---

bargeldloser Zahlungsverkehr *payment by money transfer;* das Gehalt *salary;* überweisen *to transfer;* der Ultimo *the last day of the month;* der Betrag *amount;* verfügen über *to have at one's disposal;* jeden beliebigen Betrag *any given amount;* abheben *to withdraw (from an account);* das Auszahlungsformular *withdrawal slip;* der Schalterbeamte *clerk (behind the counter);* abbuchen *to debit;* der Überweisungsauftrag *(money) transfer order;* erledigen *to take care of*

---

[2] When opening a personal account, customers—unlike in the United States—do not receive a check book with their name and account number printed on the checks, but rather receive a number of **Überweisungsformulare.** These forms have to be filled in appropriately and taken or mailed to one's own bank which in turn will transfer the money to the bank of the party for whom the money is intended.

Das Sparangebot° der Bank[3]

- Mit einem Dauerauftrag° können Sie regelmässig einen bestimmten Betrag von Ihrem Persönlichen Konto auf Ihr Sparkonto übertragen.
- Beim sogenannten Ultimo-Sparen brauchen Sie nur einmal einen Auftrag zu geben. Dann wird jeweils° das Geld, das auf Ihrem Persönlichen Konto vor dem Ultimo noch übrig° ist, auf Ihr Sparkonto überwiesen.

Nach einer bestimmten Zeit gewährt° die Bank ihren zuverlässigen° Kunden auch andere Dienste°:

- Die Bank räumt auf Ihrem Persönlichen Konto einen Persönlichen-Dispositions-Kredit ein°. Sie können damit, falls° Ihr Konto „leer" ist, das Konto kurzfristig° bis zu einem Monatsgehalt überziehen°.
- Sie können vom eurocheque-Service Gebrauch machen°: Sie bezahlen Rechnungen oder beschaffen sich° Bargeld°, indem Sie einfach einen eurocheque ausschreiben und Ihre eurocheque-Karte vorlegen° . . . das gilt° im Inland ebenso wie in fast allen europäischen Ländern und den wichtigsten Touristenländern am Mittelmeer°.

---

das Sparangebot *savings plan;* der Dauerauftrag *standing order;* jeweils *every time;* übrig sein *to be left over;* gewähren *to grant;* zuverlässig *trusted;* der Dienst *service;* Kredit einräumen *to give credit;* falls *in case;* kurzfristig *for a short while, short-term;* ein Konto überziehen *to overdraw an account;* Gebrauch machen von *to make use of;* s. beschaffen *to obtain;* das Bargeld *cash;* vorlegen *to show, present (a document);* das gilt *that holds true for;* das Mittelmeer *Mediterranean*

---

[3] German commercial banks have a wider range of functions than US commercial banks. They provide the usual commercial services (personal accounts, savings accounts, loans), they get involved in long-term lending (provide mortgages and other long-term financing), and they also function as investment banks, i.e. they buy, sell, and hold securities for their customers. Banks also buy and sell coins and precious metals (silver, gold), and the bigger branches of most banks deal in foreign currency. The three largest German banking institutions are: **Deutsche Bank, Dresdner Bank,** and **Westdeutsche Landesbank.**

Andrea richtet sich ein Bankkonto ein   61

WORTSCHATZ UND REDEWENDUNGEN

der Auftrag, ⸚e *order*
die Ausweiskarte, -n *identification card*
das Auszahlungsformular, -e *withdrawal slip*
die Bank, -en *bank*
das Bankkonto, -konten *bank account*
das Bargeld *cash*
der Betrag, ⸚e *amount*
der Dauerauftrag, ⸚e *standing order*
der Dienst *service*
die Filiale, -n *branch*
der Filialleiter, - *branch manager*
das Gehalt, ⸚er *salary*
das Girokonto, -konten *checking account*
die Kasse, -n *cashier's window*
das Konto, Konten *account*
das Persönliche Konto *checking account*
der Schalterbeamte, -n *clerk (behind the counter)*

das Sparangebot, -e *savings plan*
die Summe, -n *sum, amount*
der Überweisungsauftrag, ⸚e *(money) transfer order*
der Ultimo *the last day of the month*
die Unterschrift, -en *signature*
die Zahlung, -en *payment*
der Zahlungsverkehr *transaction*

abbuchen *to debit (an account)*
abheben (o, o) *to withdraw (from an account)*
ausfüllen *to make out, fill in (a form)*
auszahlen *to pay out*
s. beschaffen *to obtain*
erledigen *to settle, take care of*
gewähren *to grant*
raten (ä, ie, a) *to advise*

übertragen (ä, u, a) *to carry over, transfer*
überweisen (ie, ie) *to transfer*
verfügen über A *to have at one's disposal*
vorlegen *to show, present (a document)*
vorzeigen *to show*

das gilt *that holds true for*
s. ein Konto einrichten *to open an account*
ein Konto überziehen *to overdraw an account*
einen Kredit einräumen *to give credit*
einen Scheck ausschreiben *to write a check*
einen Wunsch vortragen *to make a wish known*

Gebrauch machen von *to make use of*
übrig sein *to be left over*

bargeldlos *cashless*
kurzfristig *short-term, for a little while*
regelmässig *regular(ly)*
sogenannt- *so-called*
ständig- *regular*
wiederkehrend *recurring*
zuverlässig *trusted*

falls *in case*
jeder beliebige Betrag *any given amount*
jeweils *every time*

- **Können Sie gut maschineschreiben?**
  Can you type well?
- **Ja. Ich verwechsle nur manchmal das „Y" mit dem „Z".**
  Yes. Only sometimes I mistake the "y" for the "z."
- **Können Sie Ablage machen?**
  Can you file (documents)?
- **Ich lege diese Briefe in alphabetischer Ordnung ab.**
  I'm filing these letters in alphabetical order.
- **Buchungsbelege lege ich nach der Auftragsnummer ab.**
  Bookkeeping vouchers I file according to the order number.
- **Wer hat Telefondienst? — Nehmen Sie bitte diesen Anruf an!**
  Who has phone duty? — Would you please take this call?
- **Können Sie Ihren Namen nach der Buchstabiertafel buchstabieren?**
  Can you spell your name according to the spelling code?

Fragen zum Inhalt

1. Wo hat sich Andrea eine Bank ausgesucht?
2. Was für zwei Konten hat sie jetzt?
3. Welches sind die drei grossen Vorteile eines Girokontos?
4. Welche zwei Sparangebote hat ihre Bank für sie?
5. Welche anderen Dienste gewährt die Bank nach einer bestimmten Zeit?

Fragen zum Überlegen und Diskutieren

1. Sprechen Sie darüber, welche Zahlungen ein Durchschnittsbürger in einem Monat per Girokonto macht!
2. Diskutieren Sie, was ein Durchschnittsbürger machen müsste, wenn er kein Girokonto hätte?
3. Was halten Sie von dem Sparangebot, das die Bank der Andrea anbietet?
4. Welche Vorteile (auch Nachteile) hat ein Persönlicher-Dispositions-Kredit?

14 | Übers Sparen

Andrea ruft die Bank an.

Das Sparbuch eignet° sich ganz besonders als „Geldsammelbecken°" für plötzliche, unvorhergesehene Ausgaben. Bis zu einer Höhe von° 2000 Mark pro Monat können Sie über Ihre Spareinlagen° mit gesetzlicher Kündigungsfrist° jederzeit ohne Ertragseinbussen° frei verfügen°.

Wenn Sie mehr sparen wollen, dann legen Sie Ihr Geld lieber zu höheren Zinsen° an°. Die Zinsen sind nämlich um so höher, je länger Sie Ihr Geld anlegen. Sie können also Ihren Spargewinn° steigern°, indem° Sie mit der Bank eine längere Kündigungsfrist vereinbaren°—12, 24 oder 48 Monate. Die jeweiligen° Zinssätze° sagt Ihnen der Kundenberater. Die Zinssätze sind auch in jeder Geschäftsstelle° ausgehängt.

Sparen mit Prämien°

Um das Sparen zu fördern°, schenkt der Staat° dem Sparer Geld[1], wenn das zu versteuernde Jahreseinkommen° 24.000 Mark bei Alleinstehenden° oder 48.000 Mark bei Verheirateten° nicht übersteigt°.

Wie kommen Sie zu diesem Geld? —Einfach: Sie schliessen mit der Bank einen prämienbegünstigten Sparvertrag ab°. Beim Prämiensparen erhält der Sparer:

- eine Sparprämie von 14%
- gute Zinsen und Zinseszinsen°

---

s. eignen als *to be suitable as;* das Sammelbecken *reservoir;* bis zu einer Höhe von *up to a limit of;* die Spareinlage *savings deposit;* die Kündigungsfrist *period of notice;* die Ertragseinbusse *reduction in interest earned;* frei verfügen über *to do as one pleases with;* die Zinsen (pl) *interest;* Geld anlegen *to invest money;* der Gewinn *yield, profit;* steigern *to increase;* indem *by (+ -ing form of verb);* vereinbaren *to arrange;* jeweilig- *specific;* der Zinssatz *interest rate;* die Geschäftsstelle *branch office;* die Prämie *premium;* fördern *to promote;* der Staat *the government;* das zu versteuernde Jahreseinkommen *the taxable annual income;* der Alleinstehende *single person;* der Verheiratete *married person;* übersteigen *to exceed;* einen prämienbegünstigten Sparvertrag abschliessen *to sign a savings plan carrying a special premium;* die Zinseszinsen (pl) *compound interest*

---

[1] When the economy was running high and unemployment was virtually non-existent, the German government paid middle- and lower-income recipients money as an incentive to save additional money on their own. The aim was to prevent people from spending too much money which adds to inflationary pressures and rather have them save money which was then available to the banks for further business investments. In general, German households save 16% of their disposable income—the rate is 4% in the United States.

Allerdings° sind die Spar-Höchstbeträge° begrenzt, und zwar° auf 800 Mark pro Jahr für Alleinstehende und 1600 Mark für Verheiratete.

Aber Sie können zusätzlich° einen vermögenswirksamen° Sparvertrag abschliessen. Auf dieses Konto lassen Sie pro Jahr von Ihrem Arbeitgeber 624 DM entweder in monatlichen Raten° oder in einer Summe einzahlen. Auf diese 624 DM bekommen Sie:

- eine Sparzulage° von 30–40%
- eine Sparprämie von 14%
- gute Zinsen und Zinseszinsen

Diese Sparverträge sind auf jeweils sieben Jahre befristet°. Man zahlt sechs Jahre lang ein, im siebten Jahr „ruht" der Vertrag. Danach kann man über den ersparten Betrag frei verfügen.

Vermögenswirksames Sparen

oder:

Wie Sie mit nur 10,40 Mark monatlich auf eine Sparsumme von über 5.000 Mark kommen

Sie werden sich kaum vorstellen können, wie Sie mit einem monatlichen Mini-Sparbetrag von 10,40 Mark zu einem stattlichen Vermögen von über 5.000 Mark kommen können.
Ganz einfach.

Laut Gesetz können Sie jährlich bis zu 624 Mark vermögenswirksam sparen. Das sind 52 Mark im Monat. In aller Regel übernimmt der Arbeitgeber von den 52 Mark die Hälfte: Er überweist "seine" 26 Mark auf ein eigens dafür angelegtes Sparkonto. Bleiben noch 26 Mark für Sie. Davon übernimmt noch einmal Väterchen Staat 30% - also 15,60 Mark - als Arbeitnehmersparzulage. Dieser Betrag wird Ihnen von Ihrem Arbeitgeber auf Ihr G-Konto gutgeschrieben. Den Restbetrag, den kleinsten Anteil, nur 10,40 Mark, übernehmen Sie. Eine tolle Sache, oder? Das ist aber noch nicht alles. Ihr Spargeld wächst durch Sparprämien weiter um mindestens 14 Prozent!

So einfach ist das. Und so schnell geht das. Wenn Sie sechs Jahre lang 10,40 Mark pro Monat sparen, kommen Sie im siebten Jahr auf die stattliche Summe von über 5.000 Mark. Mit der Wiederanlage der Steuergutschrift sogar auf über 6.000 Mark.
Da soll noch einer sagen, daß es uns nicht gut ginge!

Prämienbegünstigtes Sparen

Für alle, die mehr als 10,40 Mark im Monat sparen können und wollen, haben wir einen weiteren "Preisknüller": Das prämienbegünstigte Sparen. Bei dieser Sparform können Sie bis zu 800 Mark jährlich sparen (allerdings nur, wenn Sie schon 18 sind). Vater Staat beteiligt sich mit 14 Prozent Prämie. Und die Bayerische Vereinsbank mit gutem Zins und Zinseszins.

Nutzen Sie die Chance

Verschenken Sie das viele Geld nicht, das Ihnen der Staat (und die Bayerische Vereinsbank) hier anbietet: Einige tausend Mark können Sie ohne Arbeit verdienen und ohne jedes Risiko.

Beispiel:

Auf Ihr Konto wandern monatlich 52 DM = im Jahr	624 DM
In 6 Jahren sind das:	3.744 DM
Sie erhalten Sparprämien, Zinsen und Zinseszinsen. Insgesamt erhalten Sie nach 7 Jahren	1.300 DM
	5.044 DM
Ihre Steuergutschrift beträgt nach 6 Jahren	1.123 DM
das macht zusammen	6.167 DM

Diesem Beispiel liegt ein Zinssatz von 4,25% zugrunde.

---

allerdings *it is true;*   der Höchstbetrag *maximum amount;*   und zwar *that is, namely;*   zusätzlich *additional(ly);*   vermögenswirksam *asset building;*   die Rate *installment;*   die Sparzulage *savings increase;*   befristet sein *to be limited (in time)*

WORTSCHATZ UND REDEWENDUNGEN

der Alleinstehende, -n *single person*
der Arbeitgeber, - *employer*
die Ausgaben (pl) *expenditures*
der Betrag, ⁼e *amount*
die Ertragseinbusse, -n *reduction in interest earned*
die Geschäftsstelle, -n *branch office*
der Gewinn, -e *yield*
der Höchstbetrag, ⁼e *maximum (amount)*
die Höhe *amount, limit*
das Jahreseinkommen, - *annual income*
das Konto, -s (or **Konten**) *account*
die Kündigungsfrist, -en *period of notice*
die Prämie, -n *premium*
das Prämiensparen *premium savings*
die Rate, -n *installment*
das Sparbuch, ⁼er *savings passbook*
die Spareinlage, -n *savings deposit*
das Sparen *saving*
der Spargewinn *savings yield*
die Sparprämie, -n *savings premium*
der Sparvertrag, ⁼e *savings agreement, plan*
die Sparzulage, -n *savings increase*

der Staat *the government*
die Summe, -n *sum*
der Verheiratete, -n *married person*
der Vertrag, ⁼e *agreement; contract*
die Zinsen (pl) *interest*
die Zinseszinsen (pl) *compound interest*
der Zinssatz, ⁼e *interest rate*

anlegen *to invest*
s. eignen als *to be suitable as*
einzahlen *to deposit; to pay into an account*
fördern *to promote*
schenken *to give (as a present)*
sparen *to save*
steigern *to increase*
übersteigen (ie, ie) *to exceed*
vereinbaren *to arrange*
versteuern *to tax*

ausgehängt sein *to be posted*
befristet sein *to be limited (in time)*
begrenzt sein *to be limited (in time)*
einen Vertrag abschliessen *to sign an agreement*

frei verfügen über *to do as one pleases with*

erspart *saved*
gesetzlich *legal*
jeweilig- *specific*
monatlich *monthly*
prämienbegünstigt *carrying a special premium*
unvorhergesehen *unforeseen*

vermögenswirksam *asset-building*
zusätzlich *additional(ly)*

allerdings *it is true*
bis zu *up to*
indem *by (+ -ing form of verb)*
jeweils *at any given time*
und zwar *that is, namely*

- **Wie hoch sind die Zinsen für Spareinlagen?**
  What is the interest rate for savings deposits?
- **Wie legen Sie Ihr Geld an? —Ich spare.**
  How do you invest your money? —I save.
- **Ich bekomme 8% Zinsen und Zinseszinsen.**
  I am getting 8% interest and compound interest.

Fragen zum Inhalt

1. Als was eignet sich ein Sparbuch?
2. Kann der Sparer über seine Spareinlagen frei verfügen?
3. Was kann man tun, wenn man mehr Geld sparen will?
4. Wann werden die Zinsen höher?
5. Wie kann man seinen Spargewinn steigern?
6. Wo kann man erfahren, wie hoch die jeweiligen Zinssätze sind?
7. Warum schenkt der Staat dem Sparer Geld?
8. Wer kann prämienbegünstigt sparen?
9. Wie kommt der Sparer zu diesem Geld vom Staat?
10. Was erhält der Sparer beim Prämiensparen?
11. Kann man so viel prämiensparen, wie man will?
12. Was kann man zusätzlich abschliessen?
13. Was bringt ein vermögenswirksamer Sparvertrag?
14. Über wie viele Jahre laufen diese Sparverträge?

Fragen zum Überlegen und Diskutieren

1. Welche Vorteile und welche Nachteile hat ein Sparer, wenn er sein Geld auf ein Sparkonto legt?
2. Auf welche Weise kann man höhere Zinsen bekommen? —Welche Nachteile sind damit verbunden?
3. Glauben Sie, dass Andrea vom Sparangebot der Bank Gebrauch machen wird?

Aufgabe

Was für Sparangebote bieten die Banken in Ihrer Gegend an? —Diskutieren Sie darüber, wo Sie Ihr Geld am liebsten anlegen würden?

15 | Ein Konto bei der Post

Andrea hätte sich auch ein Konto bei der Post einrichten° können. Sie hatte das nicht gewusst, bis sie vor kurzem° eine Werbebroschüre° von der Post in die Hand bekam.

Ein Girokonto° bei der Post

Ein Girokonto hat heutzutage fast jeder, bei der Post oder bei einem anderen Geldinstitut°. Wenn Sie also eine Rechnung zu bezahlen haben, so prüfen Sie bitte zuerst die Kontoverbindung° des Zahlungsempfängers°. Die Kontoverbindung, also Kontonummer und Geldinstitut, finden Sie auf Rechnungen sowie auf Schreiben° von Behörden°, Firmen, Vereinen usw.

Überweisungen° von Postscheckkonto zu Postscheckkonto sind besonders schnell. Sie dauern nur 1 bis 2 Tage. Sie können also mit der Zahlung bis zuletzt° warten.

Über Ihr Postscheckkonto erreichen Sie aber auch jeden, der selbst kein Postscheckkonto hat, wohl aber ein Girokonto bei einer Bank oder Sparkasse°. Dann überweisen Sie einfach den zu zahlenden Betrag° auf das Postscheckkonto der Bank oder Sparkasse.

Barauszahlung beim Postamt ist nur mit der Ausweiskarte möglich.

Zahlkarte°/Postüberweisung

Immer häufiger liegt den Rechnungen, die Sie bekommen, ein Formblatt „Zahlkarte/Postüberweisung"[1] bei°. Haben Sie ein Postscheckkonto, so ist das Formular° für Sie eine Postüberweisung. Es ist schon weitgehend° ausgefüllt. Sie brauchen nur noch wenige Angaben° nachzutragen° und zu unterschreiben.

ein Konto einrichten *to open an account;* vor kurzem *recently;* die Werbebroschüre *advertising brochure;* das Girokonto *checking account;* das Geldinstitut *bank, financial institution;* die Kontoverbindung *account number and bank;* der Zahlungsempfänger *payee;* das Schreiben *letter;* die Behörde *government office;* die Überweisung *transfer;* bis zuletzt *until the very last moment;* die Sparkasse *savings bank;* den zu zahlenden Betrag *the amount due;* die Zahlkarte *postal money order;* beiliegen *to be enclosed;* das Formular *(printed) form, blank;* weitgehend *for the most part;* die Angabe *information;* nachtragen *to supply, fill in*

[1] When both sender and recipient have a postal account, a **Postüberweisung** (light blue form) is used for a cashless money transfer. A **Zahlkarte** (blue form) is used for sending money when only the recipient has a postal account. When neither sender nor recipient have a postal account, cash can be transferred by using a **Postanweisung** (red form). A fee is charged for services when using a **Zahlkarte** or a **Postanweisung;** there is no fee for a **Postüberweisung.**

Mehr ist nicht zu tun. Sie brauchen nicht einmal zum Postamt zu gehen, um den Betrag mit der Zahlkarte einzuzahlen. Sie sparen Wege, Zeit und die Gebühr für die Zahlkarte.

Auch wenn Sie eine Reihe° von Ausgaben° haben, die regelmässig und in gleicher Höhe wiederkehren°, wie Miete, Versicherungsprämien° usw.: Als Inhaber° eines Postscheckkontos erteilen Sie einfach einen Dauerauftrag°. Dann sorgt das Postscheckamt für eine termingerechte° Ausführung° der Zahlungen. Zahlungstermine° werden pünktlich eingehalten°, Mahngebühren° fallen nicht an°, und Sie ersparen° sich das Ausfüllen einer Überweisung.

die Reihe *series;* die Ausgabe *expenditure;* wiederkehren *to recur;* die Versicherungsprämie *insurance premium;* der Inhaber *holder;* einen Dauerauftrag erteilen *to give a standing order;* termingerecht *on time;* die Ausführung *execution;* der Zahlungstermin *payment date;* einhalten *to adhere to;* die Mahngebühr *late charges;* anfallen *to accrue;* s. ersparen *to save oneself (from doing something)*

Ein Konto bei der Post   **69**

Bei der Post sparen

Sie können bei der Post auch ein Sparkonto anlegen°, das Zinsen° bringt. Und das schöne an einem Postsparkonto ist, dass Sie in jedem Postamt der Bundesrepublik Geld auf Ihr Sparkonto einzahlen oder von Ihrem Konto abheben° können. Sie müssen nur das Postsparbuch mitbringen und Ihre Ausweiskarte vorlegen°.

Und wenn Sie verreisen, so brauchen Sie sich als Postsparer um Bargeld° überhaupt nicht zu kümmern. Das Geld bekommen Sie unterwegs bei der Post, im Inland sowie auch im Ausland. Mit einem Postsparbuch bekommen Sie unterwegs überall schnell Bargeld, denn Sie können bei den rund 19 000 Postämtern in der Bundesrepublik und in Berlin (West) Geld abheben. Und das zu günstigen Zeiten, denn viele Postämter haben bis 18 Uhr geöffnet, manche bis 20 oder 22 Uhr und einige sogar rund um die Uhr. Alle Postämter sind samstagvormittags geöffnet und ca. 600 Postämter auch sonntags.

Die Zinsen der Postsparkasse:

5 % bei gesetzlicher Kündigungsfrist.

6,5% bei 1-jähriger Kündig...

7 % bei 2¹/₂-jähriger Kün...

8 % bei 4-jähriger Kündi...

7 % beim prämienbegü...
Und dazu kommt di...

Post - damit Sie mehr v...

Post-Bankservice: Auftragssparen per Dauerauftrag vom Postscheckkonto aufs Postsparbuch.

Wollen Sie sparen, ohne sich darum zu kümmern?
Mit einem Postsparbuch kann man das.
Ganz einfach: Lassen Sie per Dauerauftrag
von Ihrem Postscheckkonto monatlich eine
Summe überweisen.
Das bringt gute Zinsen.
Ihr Geld verdient Geld für Sie.
Ohne daß Sie sich darum kümmern.
Das ist Auftragssparen – das ist Post-Bankservice.

Post - damit Sie mehr vom Geld haben

POSTAMT 32 MÜNCHEN

Schalterstunden:

Montag mit Freitag	von 8 – 18 Uhr
Samstag (Geschäftsschluß 14 Uhr)	von 8 – 13 Uhr
Samstag (Geschäftsschluß 18 Uhr)	von 8 – 14 Uhr
Sonntag	von 11 – 12 Uhr

In- und außerhalb der Schalterstunden:
(TAG UND NACHT)

Ferngespräche · Telegramme
Postsparkasse · Ein- u. Auszahlungen·
Auszahlen von eurocheques
Einschreib- u. Eilbriefe
Postlagernde Sendungen:
HAUPTPOSTLAGERND · BAHNPOSTLAGERND · POSTLAGERND

Nur in den Schalterstunden Montag mit Samstag:
Gewöhnliche Postanweisungen u. Zahlkarten

Außerhalb der Schalterstunden ist für
Einschreibsendungen u. telegrafische Einzahlungen
eine zusätzliche Gebühr von 2⁵⁰ DM zu entrichten.

Nachtglocke von 23 bis 6.³⁰ Uhr

Bitte keine Hunde mitbringen

---

ein Sparkonto anlegen *to open a savings account;*   die Zinsen (pl) *interest;*   Geld abheben *to withdraw money;*   vorlegen
to present, show;   das Bargeld *cash*

Und wenn Sie im Ausland sind, können Sie bei jedem Postamt Geld abheben, wie zu Hause. Sie bekommen Ihr Geld natürlich in der ausländischen Währung° ausgezahlt, zu einem günstigen Wechselkurs° und ohne Abzug° von Spesen° und Gebühren.

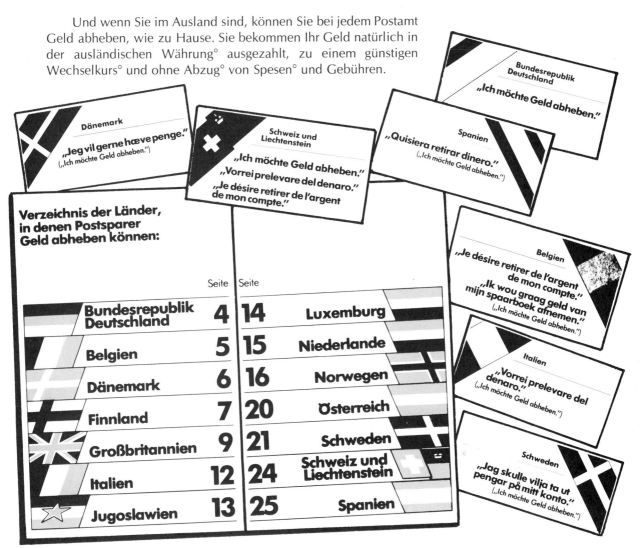

Dänemark
„Jeg vil gerne hæve penge."
(„Ich möchte Geld abheben.")

Schweiz und Liechtenstein
„Ich möchte Geld abheben."
„Vorrei prelevare del denaro."
„Je désire retirer de l'argent de mon compte."

Bundesrepublik Deutschland
„Ich möchte Geld abheben."

Spanien
„Quisiera retirar dinero."
(„Ich möchte Geld abheben.")

Belgien
„Je désire retirer de l'argent de mon compte."
„Ik wou graag geld van mijn spaarboek afnemen."
(„Ich möchte Geld abheben.")

Italien
„Vorrei prelevare del denaro."
(„Ich möchte Geld abheben.")

Schweden
„Jag skulle vilja ta ut pengar på mitt konto."
(„Ich möchte Geld abheben.")

Verzeichnis der Länder, in denen Postsparer Geld abheben können:

	Seite	Seite	
Bundesrepublik Deutschland	4	14	Luxemburg
Belgien	5	15	Niederlande
Dänemark	6	16	Norwegen
Finnland	7	20	Österreich
Großbritannien	9	21	Schweden
Italien	12	24	Schweiz und Liechtenstein
Jugoslawien	13	25	Spanien

◢◢◢ WORTSCHATZ UND REDEWENDUNGEN ◢◢◢

der Abzug, ∺e *deduction*
die Angabe, -n *information*
die Ausführung, -en *execution, carrying out*
die Ausgabe, -n *expense*
das Bargeld *cash*
die Behörde, -n *government office*
das Formular, -e *form, blank*
die Gebühr, -en *fee*
das Geldinstitut, -e *bank, financial institution*

das Girokonto, -s (or **-konten**) *checking account*
der Inhaber, - *bearer, holder*
das Konto, -s (or **Konten**) *account*
die Kontoverbindung *account number and bank*
die Mahngebühr, -en *late charges*
das Postamt, ∺er *post office*

die Währung *currency;* der Wechselkurs *rate of exchange;* der Abzug *deduction;* die Spesen (pl) *charges*

das **Postscheckkonto**   *postal checking account*
das **Postsparbuch, ⸚er**   *postal savings passbook*
das **Postsparkonto**   *postal savings account*
die **Postüberweisung, -en**   *postal money transfer*
die **Reihe, -n**   *series*
das **Schreiben, -**   *letter*
die **Sparkasse, -n**   *savings bank*
das **Sparkonto**   *savings account*
die **Spesen** (pl)   *charges*
die **Überweisung, -en**   *transfer*
die **Versicherungsprämie, -n**   *insurance premium*
die **Währung, -en**   *currency*
der **Wechselkurs, -e**   *rate of exchange*
die **Werbebroschüre, -n**   *advertising brochure*
die **Zahlkarte, -n**   *postal money order*
die **Zahlung, -en**   *payment*
der **Zahlungsempfänger, -**   *payee*
der **Zahlungstermin, -e**   *payment date*
die **Zinsen** (pl)   *interest*

abheben von (o, o)   *to withdraw (from)*
anfallen (ie, a)   *to accrue*

ausfüllen   *to fill in (a form)*
auszahlen   *to pay (out)*
beiliegen (a, e)   *to be included*
einhalten (ie, a)   *to adhere to*
einzahlen (auf)   *to pay into, make a payment*
s. ersparen   *to save oneself (from doing something)*
nachtragen (u, a)   *to supply, fill in*
überweisen (ie, ie)   *to transfer*
unterschreiben (ie, ie)   *to sign*
vorlegen   *to present, show*
wiederkehren   *to recur*

einen Dauerauftrag erteilen   *to give a standing order*
ein Konto einrichten   *to open an account*
ein Sparkonto anlegen   *to open a savings account*

termingerecht   *on time*

bei der Post   *at the post office*
bis zuletzt   *until the very last moment*
der zu zahlende Betrag   *the amount due*
immer häufiger   *more and more frequently*
vor kurzem   *recently*
weitgehend   *for the most part*

- **Warum richten Sie sich kein Postscheckkonto ein?**
  Why don't you get a postal checking account?
- **Sie müssen die Zahlkarte noch unterschreiben.**
  You still have to sign the money transfer order.
- **Ich möchte 200 Mark von meinem Konto abheben.**
  I'd like to withdraw 200 marks from my account.
- **Haben Sie ein Postsparkonto?**
  Do you have a postal savings account?
- **Dann können Sie auch im Ausland bei jedem Postamt Geld abheben.**
  Then you can withdraw money at any post office abroad.

Fragen zum Inhalt

1. Wo hätte sich Andrea auch ein Konto einrichten können?
2. Welche Überweisungen sind besonders schnell?
3. Welche Vorteile hat ein Girokonto bei der Post?
4. Was ist der Vorteil eines Sparkontos bei der Post?
5. Was muss man bei sich haben, wenn man Geld von seinem Konto abheben will?
6. Wann ist es besonders vorteilhaft, ein Postsparbuch zu haben?
7. Können Sie auch im Ausland Geld von Ihrem Sparkonto abheben?

Der Ultimo ist der Zahltag | 16

Heute ist der 31. August, der Ultimo, der letzte Tag im Monat, der Zahltag. Auf diesen Tag hat Andrea schon den ganzen Monat gewartet. Jetzt wird sie herausfinden, wieviel Geld von ihrem Gehalt übrigbleibt, ob sie von ihrem monatlichen Einkommen leben kann, und ob sie vielleicht auch ein wenig sparen kann — für eine schöne Ferienreise in den Süden.

Um halb zehn Uhr, nach der Kaffeepause, kommt ihr Abteilungsleiter durch den Arbeitsraum. Er verteilt die Umschläge, in denen die Gehaltsabrechnungen° stecken. Hier ist Andreas Gehaltsabrechnung:

Backhaus	Backhaus GmbH				Aug. 82	Bl. 1
Pers.-Nr. 3762	**Name/Vorname** Krueger Andrea	**LST** 201	**KST** 2	**SVS** 41/2	**KK** 04	**Monatl. Freibetrag**

Art	Text		Zeit	Faktor	Betrag
	Gehalt		0,00	0,00	1.800,00

	Ber.-Tg.	Lohnsteuer	Erg.-Abgabe	Kirchensteuer	Steuerpfl. Brutto	Brutto
Norm.	26	254,00		23,00	1.800,00	1.800,00

	Ber.-Tg.	Krankenvers.	Rentenvers.	Arbeitsl.-Vers.	SV-pfl. Brutto	Netto
	30	109,00	162,00	27,00	1.800,00	1.225,00

Art	Text	Be/Abzug

Lohn-/Gehalts-Abrechnung

Arb.-Tage	Krankh.-Tage	Sonst. Tage	Entsch. Tage	Unentsch. Tage	Url.-Tage	Url.-Anspr.	Rest-Urlaub	Auszahlung
21,0	0,0	0,0	0,0	0,0	0,0	15,0	15,0 Bank	1.225,00

Aufgelaufene Beträge	Gesamtbrutto	Lohnsteuer	Erg.-Abgabe	Kirchenst.	Vermögensbild
	1.800,00	254,00		23,00	
AG-Ant. kv.-Frw. 0,00	**St.-pfl. Brutto** 1.800,00	**SV-pfl. Brutto** 1.800,00	**Krankenvers.** 109,00	**Rentenvers.** 162,00	**Arbeitsl.-Vers.** 27,00

die Gehaltsabrechnung *pay slip*

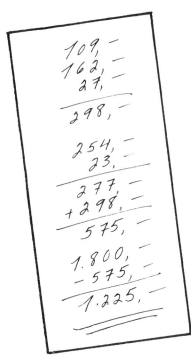

Andrea wundert sich über ihre Abzüge°, und sie spricht mit ihrem Abteilungsleiter darüber.

„Ihr Bruttogehalt° beträgt 1,800.—Mark. Sie sind ledig°, Ihr Nettogehalt beläuft° sich auf 1,232.—Mark. Ihre Abzüge setzen sich wie folgt zusammen°: Sozialversicherungsbeiträge°, das sind Krankenkasse° 109 Mark, Rentenversicherung° 162 Mark und Arbeitslosenversicherung° 27 Mark. Das sind also:

Krankenkasse	DM 109,—
Rentenversicherung	DM 162,—
Arbeitslosenversicherung	DM 27,—
	DM 298,—

Und Sie zahlen Steuern°, Lohnsteuer° und Kirchensteuer°[1]. Die Lohnsteuer beträgt für Ledige in Steuerklasse I 254 Mark und die Kirchensteuer 23 Mark. Das sind also:

Lohnsteuer	DM 254,—
Kirchensteuer	DM 23,—
	DM 277,—

Hier! Sehen Sie sich mal diese Lohnabzugtabelle° an!

Brutto–Löhne in DM	Netto–Löhne in DM		Sozialversicherungsbeiträge Anteile der Arbeitnehmer			Steuern		Kirchensteuer	
Monatlich	Ledige	Verheir	Krankenkasse	Renten– versicherung	Arbeitslosen– versicherung	Ledige Steuerkl. I	Verheir. St. Kl. III	Ledige	Verheir.
702,—	530,—	586,—	42,—	63,—	11,—	33,—	————	3,—	————
902,—	699,—	753,—	54,—	81,—	14,—	69,—	————	6,—	————
1 002,—	741,—	823,—	61,—	90,—	15,—	87,—	12,—	8,—	1,—
1 202,—	865,—	951,—	73,—	108,—	18,—	127,—	48,—	11,—	4,—
1 402,—	988,—	1 079,—	85,—	126,—	21,—	167,—	84,—	15,—	7,—
1 602,—	1 110,—	1 205,—	97,—	144,—	24,—	208,—	121,—	19,—	11,—
1 802,—	1 232,—	1 336,—	109,—	162,—	27,—	254,—	157,—	23,—	14,—
2 002,—	1 329,—	1 461,—	121,—	180,—	30,—	314,—	193,—	28,—	17,—
2 302,—	1 463,—	1 644,—	139,—	207,—	35,—	420,—	254,—	38,—	23,—
2 602,—	1 610,—	1 831,—	156,—	234,—	39,—	535,—	314,—	48,—	28,—
2 902,—	1 716,—	2 025,—	166,—	261,—	43,—	657,—	374,—	59,—	33,—

der Abzug *deduction*;   das Bruttogehalt *gross salary*;   ledig *single*;   s. belaufen auf *to amount to*;   s. zusammensetzen *to consist of*;   der Sozialversicherungsbeitrag *social security payment*;   die Krankenkasse *health insurance*;   die Rentenversicherung *old-age insurance*;   die Arbeitslosenversicherung *unemployment insurance*;   die Steuer *tax*;   die Lohnsteuer *(personal) income tax*;   die Kirchensteuer *church tax*;   die Lohnabzugtabelle *salary deduction table*

[1] German workers have to pay a church tax. It amounts to between eight and ten percent of the personal income tax. This tax is withheld by the employer, collected by the tax authorities and transferred to the respective church organizations. In order to decline paying this tax, a person must officially leave the church.

Ihre gesamten Abzüge belaufen sich also auf:

Sozialversicherungsbeiträge	DM 298,—
Steuern	DM 277,—
	DM 575,—

Ihr Bruttogehalt ist	DM 1,800.—
minus Abgaben	DM 575,—
Nettogehalt	DM 1,225,—

Bevor Andrea an ihren Arbeitsplatz zurückgeht, gibt ihr Herr Hammer eine Broschüre „Tips für den Arbeitnehmer°", herausgegeben vom Presse- und Informationsdienst der Bundesregierung, Bonn. Die Information, die sie hier findet, ist für sie von grossem Interesse. Sie erfährt nämlich hier, was mit den Abzügen geschieht, die sie auf ihrer Gehaltsabrechnung vorgefunden hat. Sie erfährt also, was für soziale Sicherheit°² sie an ihrem Arbeitsplatz geniesst°.

TIPS FÜR ARBEITNEHMER.

Rechte und Chancen der Bürger. Überblick über die soziale Sicherung.

Reihe: Bürger-Service

PRESSE- UND INFORMATIONSAMT DER BUNDESREGIERUNG.

WORTSCHATZ UND REDEWENDUNGEN

der Abzug, ⸚e *deduction*
der Arbeitnehmer, - *employee*
die Arbeitslosenversicherung, -en
   unemployment insurance
das Bruttogehalt, ⸚er *gross salary*
das Einkommen, - *income*
das Gehalt, ⸚er *salary*
die Gehaltsabrechnung, -en *pay slip*
die Kirchensteuer, -n *church tax*
der Ledige, -n *single person*

die Lohnabzugstabelle, -n *salary deduction
   table*
die Lohnsteuer, -n *(personal) income tax*
das Nettogehalt, ⸚er *net salary*
die Rentenversicherung, -en *old-age
   insurance*
der Sozialversicherungsbeitrag, ⸚e *social
   security payment*
die Steuer, -n *tax*
die Steuerklasse, -n *tax classification*

der Arbeitnehmer *employee;*   die soziale Sicherheit *social security;*   geniessen *to enjoy*

² Social security in Germany has a longer tradition than social security in the US. It goes back to the last twenty years of the 19th century, to the government of Chancellor Bismarck. Insurance against illness was introduced in 1883, against industrial accidents in 1884, old-age pension and disability insurance in 1889, and unemployment insurance in 1927. Insurance coverage is broad, and contributions amount to about 33% of insurable earnings, to be paid in equal amounts by employer and employee.

der **Tip**, -s *hint*
der **Ultimo** *the last day of the month*
der **Zahltag**, -e *payday*

s. belaufen auf A *to amount to*
geniessen *to enjoy*
herausgeben *to publish*
übrigbleiben *to be left over*

verteilen *to distribute*
vorfinden *to find, come upon*
s. zusammensetzen *to consist of*

gesamt- *total*
ledig *single*
monatlich *monthly*

soziale Sicherheit *social security*

- **Wann ist der Zahltag? —Am Ultimo.**
  When is payday? —On the last day of the month.
- **Wieviel bleibt von Ihrem Bruttogehalt übrig?**
  How much is left from your gross income?
- **Können Sie von Ihrem monatlichen Einkommen leben?**
  Can you live on your monthly income?
- **Zeigen Sie mir mal Ihre Gehaltsabrechnung!**
  Let me have a look at your pay slip.
- **Aus welchen Beiträgen setzen sich die sozialen Abzüge zusammen?**
  What contributions make up your deductions for social security?
- **Was für Steuern zahlen Sie? Wie hoch sind diese?**
  What kind of taxes are you paying? How high are they?

Fragen zum Inhalt

1. Auf welchen Tag hat sich Andrea schon lange gefreut? Warum?
2. Wie erhält sie ihre Gehaltsabrechnung?
3. Wie hoch ist ihr Bruttogehalt?
4. Woraus setzen sich ihre Sozialversicherungsbeiträge zusammen? Wie hoch sind diese?
5. Welche Steuern muss sie zahlen? Wie hoch sind diese?
6. Wie hoch sind ihre gesamten Abzüge? Woraus setzen sie sich zusammen?
7. Was gibt Herr Hammer der Andrea?
8. Was für Information findet sie in dieser Broschüre?

Fragen zum Überlegen und Diskutieren

1. Diskutieren Sie über die Abzüge, die Sie auf einem Ihrer Gehaltsstreifen haben!
2. Diskutieren Sie darüber, welchen Zweck die einzelnen Versicherungen haben!

Aufgaben

1. Wofür werden die Bundessteuereinkommen in den Vereinigten Staaten ausgegeben? —Besorgen Sie sich statistische Information, und sprechen Sie darüber, was Sie gefunden haben!
2. Rechnen Sie den Nettoverdienst aus für a) einen Ledigen, der DM 2 600,00 verdient und b) für einen Verheirateten in Steuerklasse III, der auch DM 2 600,00 verdient!

Andreas Kontoauszug° | **17**

Der Kontoauszug ist das Spiegelbild der persönlichen Finanzlage°. Der Auszug gibt Antworten auf viele Fragen: Wurde das Gehalt pünktlich gutgeschrieben°? Ist die Miete abgebucht°? Ist der Scheck an die Volkshochschule[1] schon eingelöst°? Alle diese Fragen beantwortet der Kontoauszug, den Andrea als Gehaltskonto-Inhaberin monatlich erhält. Sie wird über ihr Guthaben° (oder über ihr Defizit) informiert und kann somit viel besser wirtschaften°.

Auf dem Kontoauszug werden festgehalten°: Gehaltseingang (Überweisung° von der Firma Backhaus), die Barabhebungen° fürs Haushaltsgeld (Auszahlungen), die Miete an den Hausbesitzer (Dauerauftrag°), die Telefonkosten (Lastschrift°). Andrea kann also alle Kontobewegungen, alle Geldeingänge und Geldausgänge kontrollieren. Jeder Geldausgang wird zu ihren Lasten° gebucht, jeder Geldeingang zu ihren Gunsten°. Wenn die Belastungen° grösser sind als die Vergütungen°, dann steht Andrea in „roten Zahlen". Sie hat dann ein Minus auf ihrem Konto; sie steht im Soll°.

HABEN

Kontoauszug

SOLL

Dauerauftrag

Kontobewegung KONTO Lastschrift

Vergütungen

zu Gunsten Überweisung

---

der Kontoauszug *bank statement;* die Finanzlage *financial situation;* gutschreiben *to credit (an account);* abbuchen *to debit (an account);* einen Scheck einlösen *to cash a check;* das Guthaben *credit balance;* wirtschaften *to manage (one's affairs);* festhalten *to put on record;* die Überweisung *(check) transfer;* die Barabhebung *cash withdrawal;* der Dauerauftrag *standing order;* die Lastschrift *notification of debit;* zu ihren Lasten *to her debit;* zu ihren Gunsten *to her credit;* die Belastungen (pl) *charges;* die Vergütungen (pl) *credit entries;* im Soll stehen *to be overdrawn (on one's account)*

---

[1] Every year between 12 and 15 million persons (20 to 25% of the total population of the Federal Republic) take part in some adult education program. There are hundreds of adult education centers, served by 5,000 full-time and 500,000 part-time instructors. Most adults, about 5 million, take courses at the popular **Volkshochschulen,** others at training centers run by business, churches, or unions. The main interest in adult education is shown by people who did not complete their secondary school education. Statistics show that 30% of the students in **Volkshochschulen** take courses to improve their knowledge of a foreign language (50% English, 25% French, 5% Italian, 5% Spanish, followed by German as a foreign language, Russian, Chinese, Arabic, Greek, and Turkish). Twenty percent take courses in applied arts and music, 15% in health maintenance (yoga, gymnastics).

(Das darf sie ja, denn sie darf ihr Konto bis zu einem Monats-
gehalt überziehen°!). Sind Andreas Vergütungen grösser als die
Belastungen, dann hat sie ein Guthaben; sie steht im Haben°.
Sehen Sie sich mal Andreas Kontoauszug an!

Dresdner Bank

MONATSAUSZUG

Die Monatsauszüge müssen alle Umsätze der letzten vier Wochen Ihres Kontos enthalten.
Von etwaigen Abweichungen bitten wir unsere Revisionsabteilung oder die Filialleitung zu
verständigen. Schecks und Lastschriften gelten erst dann als eingelöst, wenn die Buchung
nicht am folgenden Buchungstag storniert wurde.

	Zu Ihren Lasten DM	Zu Ihren Gunsten DM
Kontostand vom letzten Auszug		318,72
Neuer Kontostand		797,42

Kontonummer	Auszug	Blatt
296504	10	1

FRAEULEIN   296504

ANDREA KRUEGER
VICTORIASTR. 30

8000 MUENCHEN 40

MUENCHEN, DEN 20.11.82

Bu.-Tag.	Vorgang	PN-Nr.	Wert	Zu Ihren Lasten DM	Zu Ihren Gunsten DM
19 10	DAUERAUFTRAG Nr. 001	347	1910	39,00	
23 10	AUSZAHLUNG	4341	2310	150,00	
26 10	UEBERWEISUNG	1420	2610	85,00	
28 10	GUTSCHRIFT	2156	2810		110,60
30 10	VERGUETUNG	3473	3010		1.271,00
02 11	DAUERAUFTRAG Nr. 002	817	0211	260,00	
06 11	AUSZAHLUNG	2094	0611	200,00	
09 11	DAUERAUFTRAG Nr. 003	1476	0911	18,30	
19 11	AUSZAHLUNG	2851	1911	150,00	
20 11	GEBUEHREN	926	2011	0,60	

ein Konto überziehen *to overdraw an account;*   im Haben stehen *to have a credit balance*

Wie lesen Sie einen Monatsauszug?

Der Monatsauszug informiert Sie einmal im Monat über alle Kontobewegungen. Sie können damit also die über die Bank gelaufenen Ein- und Ausgänge genau überblicken. Sie erhalten den Monatsauszug mit der Post. Für diese Zusendung wird kein Porto° verlangt.

Rechts neben Ihrem Namen können Sie Ihren Kontostand° ablesen; zuerst den Kontostand vom letzten Auszug und den neuen Kontostand. Ein Betrag in der Spalte° „Zu Ihren Gunsten" heisst, dass Sie über diesen Betrag verfügen° können, d.h. dieser Betrag gehört Ihnen. Eine Summe in der Spalte „Zu Ihren Lasten" würde heissen, dass Sie diese Summe der Bank schulden. Sie haben Ihr Konto überzogen (und Sie müssen dafür Zinsen° zahlen).

Wie lesen Sie nun die einzelnen Kontobewegungen? In der ersten Spalte steht der Buchungstag°, in der zweiten Spalte der Vorgang°. Er zeigt Ihnen, um welche Art von Buchung es sich handelt°, zum Beispiel Dauerauftrag, Gutschrift, Vergütung (Andreas Gehalt), Auszahlungen.

In der nächtsten Spalte steht eine bankinterne Buchungsnummer, die es der Bank ermöglicht, eventuelle° Rückfragen des Kunden schnell beantworten zu können.

In der Spalte „Wert"°' steht wiederum ein Datum. Von diesem Datum an wird ein Betrag verzinst° oder nicht. Dies trifft gewöhnlich dann zu°, wenn ein Konto überzogen wird und der Kunde sich Geld von der Bank „borgen" muss.

In der Spalte „zu Ihren Lasten" (oft auch SOLL genannt) stehen die Beträge, die Sie ausgegeben haben, d.h. sie wurden Ihrem Konto belastet°. In der Spalte „zu Ihren Gunsten" (oft auch HABEN genannt) stehen die Beträge, die Sie erhalten haben, d.h. sie wurden Ihrem Konto gutgeschrieben.

Rechnen Sie jeden Monatsauszug nach°! Die Differenz zwischen Soll und Haben zusammen mit Ihrem alten Kontostand ergibt° Ihren neuen Kontostand.

Monatsauszug

Eingang

AUSGANG

das Konto überziehen

Gutschrift

Auszahlung

ZINSEN

verzinsen

Buchungstag

zu Ihren Lasten

Kontostand

---

das Porto *postage;* der Kontostand *balance;* die Spalte *column;* verfügen über *to have at one's disposal;* die Zinsen (pl) *interest;* der Buchungstag *date of entry;* der Vorgang *transaction;* es handelt sich um *this is about . . .;* eventuell- *possible;* der Wert *date payment cleared;* verzinsen *to pay or charge interest;* zutreffen *to apply;* belasten *to debit;* nachrechnen *to review, go over;* ergeben *to result in*

Der Monatsauszug mit laufender Information

Anstatt des Tagesauszuges können Sie auch den Monatsauszug mit laufender Information wählen. Der Monatsauszug informiert Sie einmal im Monat über alle Kontobewegungen. Damit können Sie – wie in einem Haushaltsbuch – Ihre über die Bank gelaufenen finanziellen Ein- und Ausgänge überblicken.

Durch die laufende Information werden Sie vorab über diejenigen Buchungen benachrichtigt, die Sie nicht selbst veranlaßt haben bzw. über die Sie wahrscheinlich vorher nicht informiert sind.

Vorteile

☐ Kostengünstig (siehe Seite 59).

☐ Gesamtinformation über alle Vorgänge auf dem Privatkonto nur einmal im Monat.

☐ Monatsauszug und laufende Informationen erhalten Sie mit der Post. Für die Zusendung der laufenden Informationen wird kein zusätzliches Porto berechnet.

Unsere Empfehlung

Monatsauszug mit laufender Information sollten Sie wählen, wenn Sie

☐ nur wenige Buchungen haben,

☐ nicht sofort über alle Kontobewegungen unterrichtet werden wollen und

☐ zugleich Kosten sparen möchten.

WORTSCHATZ UND REDEWENDUNGEN

der Ausgang, ⸚e *expenditure*
die Auszahlung, -en *payment*
der Auszug, ⸚e *statement of account*
die Barabhebung, -en *cash withdrawal*
die Belastung, -en *debit*
der Betrag, ⸚e *amount*
die Buchungsnummer, -n *entry number*
der Buchungstag, -e *entry date*
der Dauerauftrag, ⸚e *standing order*
das Defizit, -e *deficit*
die Differenz, -en *difference*
der Eingang, ⸚e *receipt*
die Finanzlage, -n *financial situation*
der Gehaltseingang, ⸚e *deposit of salary*
der Geldausgang, ⸚e *withdrawal*
der Geldeingang, ⸚e *deposit*
das Guthaben, - *credit balance*
die Gutschrift, -en *credit entry*
das Haushaltsgeld, -er *household money*
die Inhaberin, -nen *bearer, holder*

der Kontoauszug, ⸚e *bank statement*
die Kontobewegung, -en *transaction affecting one's account*
der Kontostand, ⸚e *account balance*
die Lastschrift, -en *notification of debit*
der Monatsauszug, ⸚e *monthly statement*
das Porto *postage*
die Rückfrage, -n *inquiry*
der Scheck, -s *check*
die Spalte, -n *column*
das Spiegelbild, -er *reflection*
die Summe, -n *sum*
die Überweisung, -en *transfer*
die Vergütung, -en *credit entry, payment*
der Vorgang, ⸚e *transaction*
die Zinsen (pl) *interest*

abbuchen *to debit (an account)*
ablesen (ie, a, e) *to read off*
ausgeben (i, a, e) *to spend*

belasten   *to debit (an account)*
borgen   *to borrow*
buchen   *to enter into an account*
ergeben (i, a, e)   *to result in*
festhalten (ä, ie, a)   *to put on record*
gutschreiben (ie, ie)   *to credit (an account)*
nachrechnen   *to review, check*
schulden   *to owe*
verfügen über   *to have at one's disposal*
verzinsen   *to pay or charge interest*
wirtschaften   *to manage*
zutreffen (i, a, o)   *to apply*

das Soll und das Haben   *debit and credit*
ein Konto belasten   *to charge, debit an account*

ein Konto überziehen   *to overdraw an account*
einem Konto gutschreiben   *to credit an account*
einen Scheck einlösen   *to cash a check*
es handelt sich um   *this is about . . .*
im Haben stehen   *to have a credit balance*
im Soll stehen   *to have a debit balance*
in roten Zahlen stehen   *to be overdrawn, to be in the red*

bankintern-   *internal (for bank purposes)*
eventuell-   *possible*

mit der Post   *by mail*
zu Ihren Gunsten   *to your credit*
zu Ihren Lasten   *to your debit*

- **Würden Sie bitte meinen Kontoauszug noch einmal nachrechnen?**
  Would you please check my bank statement once again?
- **Sie haben mir diesen Betrag nicht gutgeschrieben.**
  This amount was not credited to my account.
- **Ich dachte, ich habe ein Guthaben. Dabei stehe ich in roten Zahlen.**
  I thought I had balance in my favor. Instead, I'm in the red.
- **Wie lange darf ich mein Konto überziehen?**
  For how long can I be overdrawn on my account?

Fragen zum Inhalt

1. Was ist ein Kontoauszug, und auf welche Fragen gibt er Antwort?
2. Was wird alles auf dem Kontoauszug festgehalten?
3. Was kann Andrea daher kontrollieren?
4. Wie werden Geldausgänge und Geldeingänge gebucht?
5. Was heisst ,,in roten Zahlen stehen''? Was kann man noch dafür sagen?
6. Darf Andrea überhaupt im Soll stehen?
7. Wann steht man im Haben?
8. Was bedeutet die Spalte ,,zu Ihren Gunsten'' auf dem Kontoauszug? Und ,,zu Ihren Lasten''?
9. Nennen Sie einige Kontobewegungen!
10. Was ist ein Dauerauftrag? Geben Sie ein Beispiel dafür!
11. Womit wird Andreas Konto belastet, wenn sie ihr Konto überzieht?
12. Wie rechnet man den neuen Kontostand auf dem Kontoauszug aus?

Aufgabe

Bereiten Sie einen Kontoauszug vor, wie auf Seite 78 indem Sie mindestens 12 Kontobewegungen zeigen und den neuen Kontostand ausrechnen!

18 | Andrea wohnt privat

Andrea wohnt nun schon fast zwei Monate in der Viktoria Strasse, im Herzen Schwabings[1]. Weil Andrea in der Studentenstadt viele Kontakte mit anderen Studenten hatte, glaubte sie, dass ihr Leben jetzt einsamer° und langweiliger würde. Aber da hatte sie sich getäuscht°!

An der Ecke Viktoria-Unertl-Strasse befindet sich ein Weinlokal, das Rolandseck. Das wird von vielen jungen Leuten besucht. Es ist dort immer voll, und es geht sehr lustig zu°. Hier hat Andrea Freunde gefunden, mit denen sie sich ab und zu nach der Arbeit oder am Wochenende trifft. Dann machen sie zusammen Ausflüge, gehen baden°, oder sie spielen Tennis.

An der Ecke Viktoria/Unertl Strasse, im Herzen von Schwabing

einsam *lonesome;* s. täuschen *to be mistaken;* es geht sehr lustig zu *it's a lot of fun;* baden gehen *to go swimming*

[1] **Schwabing** is the name of a particular part of the city of Munich. It used to be—and to a certain extent still is—the artists' quarter.

Mit ihrem Zimmer ist Andrea sehr zufrieden. Es ist nett ein-gerichtet und sehr gemütlich. Frau Vogt wird ab September nur die Hälfte der Miete verlangen, wenn Andrea dem 13jährigen Töchter-chen jede Woche Nachhilfeunterricht° in Englisch gibt.

Die Vogts haben keine Waschmaschine in der Wohnung, und Andrea muss ihre Wäsche im Waschsalon schräg gegenüber° waschen.

Kleine Wäschestücke kann sie im Spülbecken° im Bad waschen und auch im Bad aufhängen, und das Bügeleisen° von Frau Vogt darf Andrea selbstverständlich benutzen.

Nachhilfeunterricht geben *to tutor;*   schräg gegenüber *diagonally across;*   das Spülbecken *sink;*   das Bügeleisen *iron*

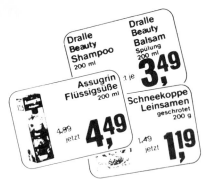

Andreas Haushaltsgeld

Andrea hat sich fest vorgenommen°, von ihrem Nettoeinkommen eine bestimmte Summe zu sparen. Sie hat sich aus diesem Grunde alle Ausgaben aufgeschrieben, die sie im Monat September hatte.

Ausgaben, September	
Miete (inc. Heizung, Licht)	DM 260,00
Fahrgeld	60,00
Essen (Kantine)	48,00
Nahrungsmittel	320,00
Körperpflege, Reinigung	40,00
Bekleidung	110,00
Bücher, Zeitungen	30,00
Unterhaltung	50,00
Sonstiges	60,00
Gesamtausgaben	978,00
Nettoeinkommen	1.225,00
Ersparnisse	DM 253,00

Andrea geht mit ihrem Haushaltsgeld sehr sparsam um°. Bevor sie einkaufen geht, liest sie sich die Sonderangebote in der Zeitung ganz genau durch. Warum soll sie für einen Joghurt, z. B. 82 Pfennig zahlen, wenn sie die gleiche Marke° woanders° im Angebot° für 55 Pfennig kaufen kann?

---

s. vornehmen *to intend to do;* die Kantine *cafeteria;* die Körperpflege *personal hygiene;* die Reinigung *cleaners;* die Unterhaltung *entertainment;* Sonstiges *miscellaneous;* umgehen mit *to handle;* die Marke *brand;* woanders *someplace else;* im Angebot *on special (sale)*

WORTSCHATZ UND REDEWENDUNGEN

das Bügeleisen, - *iron*
die Ersparnisse (pl) *savings*
das Essen *food*
das Haushaltsgeld *household money*
die Heizung *heating*
die Kantine, -n *cafeteria (in a company)*
der Kontakt, -e *contact*
die Körperpflege *personal hygiene*
das Licht *electricity, light*
die Marke, -n *brand*
die Miete *rent*
die Nahrungsmittel (pl) *groceries*
das Nettoeinkommen *net income*
die Reinigung, -en *cleaners*
das Sonderangebot, -e *special offer*
das Spülbecken, - *sink*
die Unterhaltung *entertainment*
die Wäsche *clothes, wash*
die Waschmaschine, -n *washing machine*

der Waschsalon, -s *laundry*
das Weinlokal, -e *wine pub*

baden gehen *to go swimming*
besuchen *to visit, frequent*
s. täuschen *to be mistaken*
umgehen mit *to handle*
s. vornehmen *to intend to do*

Ausflüge machen *to take trips*
es geht lustig zu *it's very merry there, it's a lot of fun*
Nachhilfeunterricht geben *to tutor*

einsam *lonesome*
sparsam *economical, thrifty*

an der Ecke *at the corner*
schräg gegenüber *diagonally across*
woanders *someplace else*
im Angebot *on special (sale)*

Fragen zum Inhalt

1. Wo wohnt Andrea, und wie lange wohnt sie schon dort?
2. Was hatte sie anfangs geglaubt?
3. Was ist das Rolandseck? Warum geht Andrea dorthin?
4. Warum wird Andrea jetzt weniger Miete zahlen?
5. Wo wäscht sie ihre Wäsche? Warum?
6. Kann sie gar nichts in der Wohnung waschen?
7. Was hat sich Andrea fest vorgenommen?
8. Welche Ausgaben hatte sie letzten Monat?
9. Hatte sie Ersparnisse? Warum?

Der Privathaushalt | **Privater Verbrauch der Haushalte**

Verteilung der Ausgaben

Nahrungs- und Genußmittel 27 %
Wohnungsmieten u. ä. Elektrizität, Gas, Brennstoffe Haushaltsführung 29 %
15 %
7 %
Bildung und Unterhaltung
Verkehr Post, Telefon
15 %
7 %
Sonstiges
Kleidung, Schuhe Körper- und Gesundheitspflege

Aufgaben

1. Schreiben Sie sich auf, welche Ausgaben Sie hätten, wenn Sie irgendwo privat wohnen würden! Diskutieren Sie Ihre Ausgaben mit Ihren Klassenkameraden!
2. Machen Sie eine Liste mit Ihren monatlichen Einnahmen und Ausgaben. Was haben Sie am Ende des Monats übrig? Was machen Sie damit?

19 | Der eurocheque-Service

Was Andrea ab und zu beim Einkaufen stört° ist die Tatsache°, dass sie immer eine grössere Summe Bargeld mitnehmen muss, weil sie noch kein Scheckkonto hat. Zu Hause, als sie an der Uni war, hatte sie ein eigenes Scheckkonto, und sie war daran gewöhnt, bei grösseren Einkäufen einfach einen Scheck auszustellen°.

Die meisten ihrer Kollegen und Kolleginnen haben den eurocheque-Service von der Bank, bei der sie schon lange Kunde sind.

Der eurocheque-Service ist beim Einkaufsbummel, beim Wochenendausflug, im Urlaub oder auf Geschäftsreisen nicht mehr wegzudenken°. Mit dem eurocheque-Service ist man immer zahlungsfähig°, und man braucht nicht unnötig Bargeld mitzunehmen. Dieser Service ist sicher° und bequem°:

a. eurocheques werden bei allen Geldinstituten und Postämtern in der Bundesrepublik sowie bei mehr als 180 000 Geldinstituten in 39 europäischen Ländern und Mittelmeerländern entgegengenommen°

b. pro eurocheque gibt es bis zu 300 DM oder den Gegenwert° in europäischen Währungen°

eurocheque und eurocheque-Karte – beim Einkaufen und auf Reisen

In Europa sowie in den meisten südlichen Mittelmeerländern können Sie kaum in Geldverlegenheiten kommen: Bei mehr als 170.000 Bankstellen in 39 Ländern können Sie mit dem eurocheque und der eurocheque-Karte Bargeld bekommen, bis zu 300 DM pro eurocheque. Sie erkennen diese Banken an dem blau-roten ec-Zeichen.

---

stören *to bother;* die Tatsache *fact;* einen Scheck ausstellen *to write a check;* ist nicht mehr wegzudenken *one wouldn't dream of being without it;* zahlungsfähig sein *to be solvent;* sicher *safe;* bequem *convenient;* entgegennehmen *to accept;* der Gegenwert *equivalent;* die Währung *currency*

In den folgenden Ländern bekommen Sie pro eurocheque die folgenden Höchstbeträge in der jeweiligen° Landeswährung:

Einkäufe und Bargeldbeschaffung			
Andorra	12 000	PTA	Peseten
Belgien	5 000	BF	Belgische Francs
Dänemark	1 000	DKR	Dänische Kronen
Finnland	700	FMK	Finnmark
Frankreich	750	FF	Französische Francs
Großbritannien	75	£	Pfund
Irland	75	I£	Irische Pfund
Italien	130 000	LIT	Lire
Jugoslawien	5 000	DIN	Jugoslawische Dinare
Liechtenstein	300	SFR	Schweizer Franken
Luxemburg	5 000	LF	Luxemburgische Francs
Malta	60	M£	Malta Pfund
Monaco	750	FF	Französische Francs
Niederlande	300	HFL	Holländische Gulden
Norwegen	850	NKR	Norwegische Kronen
Österreich	2 500	S	Österreichische Schilling
San Marino	130 000	LIT	Lire
Schweden	900	SKR	Schwedische Kronen
Schweiz	300	SFR	Schweizer Franken
Spanien	12 000	PTA	Peseten

Was kosten eurocheques?

Die Einlösung° von eurocheques bei privaten Banken im Inland ist gebührenfrei°.

Für eurocheques, die Sie im Ausland in der ausländischen Währung ausstellen, werden von Ihnen im Ausland auch keine Gebühren berechnet°. Der Scheckbetrag ist also immer gleich° dem Auszahlungsbetrag am Schalter° bzw. dem Rechnungsbetrag im Geschäft.

Erst nach Eingang° der eurocheques in Deutschland werden Ihnen Gebühren berechnet, und diese werden zusammen mit dem DM-Gegenwert der Schecks Ihrem Konto belastet°. Die Gebühr

jeweilig- *corresponding;* die Einlösung *the cashing (of a check);* gebührenfrei *free of charge;* berechnen *to compute;* gleich sein *to correspond to, be equal to;* der Schalter *counter;* der Eingang *receipt;* das Konto belasten *to debit the account*

beträgt maximal 1,75% des Scheckbetrages, mindestens° 2,50 DM pro eurocheque. Davon erhält 1,25% das ausländische Kreditinstitut und 0,5% die Deutsche eurocheque-Zentrale als Ausgleich° für die Bearbeitungs°- und Verrechnungskosten°. Die Umrechnung° des Scheckbetrages in Deutschland erfolgt° zum günstigen° amtlichen° Devisenkurs°.

Was Sie zu Ihrer eigenen Sicherheit beachten sollten:
- Bewahren Sie eurocheques und eurocheque-Karte immer getrennt° auf°!
- Nehmen Sie nach Möglichkeit nie mehr als 10 eurocheques mit!
- Lassen Sie eurocheques und eurocheque-Karte niemals im Hotelzimmer oder im Auto liegen!

Mit eurocheque europaweit sicher und bequem unterwegs

● Reisegeld bekommen Sie bei allen Geldinstituten mit dem blau-roten ec-Zeichen.

Hier sind eurocheques willkommen:

Ägypten, Albanien, **Andorra, Belgien,** Bulgarien, **Dänemark, Finnland, Frankreich,** Gibraltar, Griechenland, **Großbritannien, Irland,** Island, Israel, **Italien, Jugoslawien,** Libanon, **Liechtenstein, Luxemburg, Malta,** Marokko, **Monaco, Niederlande, Norwegen, Österreich,** Polen, Portugal, Rumänien, **San Marino, Schweden, Schweiz,** Sowjetunion, **Spanien,** Tschechoslowakei, Türkei, Tunesien, Ungarn, Zypern.

● In allen aufgeführten Ländern können Sie sich Bargeld beschaffen – in den **hervorgehobenen** Ländern in der jeweiligen Landeswährung. Darüber hinaus können Sie in diesen 20 Ländern sogar bei Einkäufen in Geschäften sowie Hotels, Restaurants usw. mit eurocheque und ec-Karte in der Landeswährung bezahlen.

● Bitte beachten Sie dabei die in der Tabelle angegebenen **Höchstbeträge pro eurocheque.**

---

mindestens *at least;* der Ausgleich *compensation;* die Bearbeitungskosten *service charge;* die Verrechnungskosten *clearing charges;* die Umrechnung *conversion;* erfolgen zu *to figure at;* günstig *favorable;* amtlich *official;* der Devisenkurs *rate of foreign exchange;* getrennt *separately;* aufbewahren *to keep*

WORTSCHATZ UND REDEWENDUNGEN

der Ausgleich, -e *compensation*
der Auszahlungsbetrag, ⸚e *amount payable*
das Bargeld *cash*
die Bearbeitungskosten (pl) *service charge*
der Devisenkurs, -e *rate of (foreign) exchange*
der Eingang, ⸚e *receipt*
die Einlösung, -en *the cashing (of a check)*
der Gegenwert, -e *equivalent*
das Geldinstitut, -e *bank, financial institution*
der Höchstbetrag, ⸚e *maximum amount*
das Kreditinstitut, -e *credit institution, bank*
das Land, ⸚er *country*
das Postamt, ⸚er *post office*
der Schalter, - *counter*
der Scheckbetrag, ⸚e *face amount (of a check)*
das Scheckkonto, -s (or **-konten**) *checking account*
die Tatsache, -n *fact*
die Umrechnung, -en *conversion*
die Verrechnungskosten (pl) *clearing charges*

die Währung, -en *currency*

aufbewahren *to keep*
belasten *to debit (an account)*
berechnen *to compute*
entgegennehmen *to accept*
erfolgen zu *to figure at*
stören *to annoy, bother*

einen Scheck ausstellen *to write a check*
gleich sein *to correspond to, be equal to*
ist nicht mehr wegzudenken *one wouldn't dream of being without it*
zahlungsfähig sein *to be sound, solvent*

amtlich *official*
bequem *convenient*
gebührenfrei *free of charge*
getrennt *separately*
günstig *favorable*
jeweilig- *corresponding*
maximal *at most*
sicher *safe*

mindestens *at least*

- **Haben Sie eurocheques? —Stellen Sie doch einen Scheck aus!**
  Do you have eurochecks? —Why don't you make out a check?
- **Eurocheques sind sicher und bequem.**
  Eurocheques are safe and convenient.
- **Man kann sie in 39 Ländern benutzen.**
  You can use them in 39 countries.
- **Wenn Sie eurocheques haben, sind Sie immer zahlungsfähig.**
  With eurocheques you are always solvent.

Fragen zum Inhalt

1. Was stört Andrea ab und zu beim Einkaufen? Warum?
2. Was haben die meisten ihrer Kollegen und Kolleginnen?
3. Bei welchen Gelegenheiten ist es besonders günstig, eurocheques mitzunehmen?
4. Wer nimmt eurocheques entgegen?
5. Bis zu wieviel DM kann man pro eurocheque erhalten?
6. Welches ist der Höchstbetrag in ausländischer Währung pro eurocheque, den man in Italien bekommen kann? In Grossbritannien? In der Schweiz?
7. Wie teuer sind eurocheques?
8. Was sollte man tun, um seine eurocheques vor Verlust zu schützen?

20 | Beim Einkaufen – auf Qualität achten

Seitdem Andrea arbeitet und sich selbst versorgen muss, vergeht doch fast kein Tag, an dem sie nicht wieder etwas hinzulernt°. Es ist ihr auf einmal klargeworden, dass sie als Studentin sehr wenig über die Dinge des täglichen Lebens, mit denen sich fast jeder Bürger° befassen muss, mitbekommen hat. Als Studentin hat sie ihre Vorlesungen° besucht, meistens in der Mensa° gegessen, und das Leben im Studentenheim war so gut organisiert, dass sie mit den alltäglichen Dingen in der Aussenwelt fast nicht in Berührung° kam.

Nun ist sie auf sich selbst angewiesen. Sie muss jetzt regelmässig in die Geschäfte gehen, um Lebensmittel zu kaufen oder ab und zu etwas zum Anziehen.

Andrea war anfangs von der Fülle° des Angebots° überwältigt°, und sie kannte sich mit der Qualität und den Preisen der angebotenen Waren überhaupt nicht aus°. Dann ist sie ab und zu mit einer ihrer Kolleginnen und auch mit Frau Vogt einkaufen gegangen, und dabei hat sie allmählich gelernt, worauf man beim Einkaufen achten muss.

Andrea geht einkaufen.

---

hinzulernen *to learn something new;* der Bürger *citizen;* die Vorlesung *lecture;* die Mensa *student cafeteria;* in Berührung kommen mit *to come in contact with;* die Fülle *abundance;* das Angebot *supply;* überwältigen *to overwhelm;* s. auskennen mit *to be familiar with*

Lebensmittel sind heutzutage° gekennzeichnet°. Durch das Vordringen° der Selbstbedienungsgeschäfte, Super- und Verkaufsmärkte, Waren- und Versandhäuser° in den letzten Jahren bekommt man heute die meisten Lebensmittel nur noch in verpacktem Zustand° angeboten°. Durch die Kennzeichnung soll der Käufer über die wesentlichen° Eigenschaften° und die Herkunft° der Lebensmittel unterrichtet werden.

Die Pflicht zur Kennzeichnung der Lebensmittel ist in einer Verordnung° festgelegt. Sie gilt° für Lebensmittel, die in sogenannten Originalpackungen an den Verbraucher abgegeben werden. Auf der Packung muss der Hersteller° die Art° und Menge° des Inhalts° und bei Lebensmitteln tierischer Herkunft das Herstellungs- oder Haltbarkeitsdatum° angeben.

Die Qualitätsklassen (auch Handelsklassen°genannt) für Obst und Gemüse richten sich nur nach äusseren Merkmalen°:

Extra hervorragende° Qualität, ohne Mängel°
I   gute Qualität, leichte Mängel zugelassen°
II   mittlere Qualität, Mängel zugelassen
III   Eigenschaften wie Klasse II, jedoch Mängel in grösserem Umfang° zugelassen

Auch Butter muss nach Handelsklassen gekennzeichnet sein, z. B. Markenbutter oder Molkereibutter.

---

heutzutage *nowadays;* kennzeichnen *to mark (with a price and description of quality);* das Vordringen *advance;* das Versandhaus *mail-order house;* der Zustand *condition;* angeboten bekommen *to be offered;* wesentlich *essential;* die Eigenschaft *characteristic;* die Herkunft *origin;* die Verordnung *regulation;* gelten für *to apply to;* der Hersteller *manufacturer;* die Art *type;* die Menge *quantity;* der Inhalt *contents;* das Haltbarkeitsdatum *date indicating how long product can safely be sold;* die Handelsklasse *class of quality;* das Merkmal *feature, characteristic;* hervorragend *excellent;* der Mangel *defect, blemish;* zulassen *to permit;* der Umfang *extent*

Handelsklassen für Eier sind:

A 1. Qualität (frische Eier, nicht älter als 7 Tage nach der Verpackung)

B 2. Qualität

C 3. Qualität (nur für die Nahrungsmittelindustrie)

Eier der Handelsklassen A und B werden weiter nach Gewichtsklassen 1—7 sortiert. So entspricht° z. B. Gewichtsklasse 4 einem Gewicht von 55 bis 60 g, Klasse 3 einem Gewicht von 60 bis 65 g, Klasse 2 einem Gewicht von 65 bis 70 g und Klasse 1 einem Gewicht von über 70 Gramm.

Die Kennzeichnung nach Handelsklassen erleichtert es dem Käufer, das Marktangebot zu übersehen, die gesuchte Qualität zu finden und die Preise zu vergleichen.

Die Kennzeichnung von Lebensmitteln richtet sich nach dem Lebensmittelgesetz. Textilwaren° dürfen an den Verbraucher nur verkauft werden, wenn sie Angaben° des Rohstoffgehaltes° enthalten°. Diese sind im Textilkennzeichnungsgesetz festgelegt°. Dadurch werden, genauso wie bei Lebensmitteln, dem Verbraucher Qualitäts- und Preisvergleiche erleichtert, ja manchmal überhaupt erst ermöglicht.

Die Kennzeichnung von Textilien erfolgt° an der Ware selbst. Sie muss leicht lesbar sein und muss:

a. deutlich erkennbar eingewebt° oder

b. auf andere Weise, z. B. auf eingenähtem° oder angehängtem Etikett oder

c. auf der Verpackung angebracht sein°.

Die wichtigsten der ca. 40 gesetzlichen Rohstoffbezeichnungen sind Wolle, Baumwolle°, Polyester, etc.

Als „Schurwolle°" darf nur die vom Schaf gewonnene, erstmals verarbeitete° Wolle bezeichnet werden; „Reine Wolle" kann auch Reisswolle sein, d.h. mehrmals verarbeitete Wolle.

---

entsprechen *to correspond;* die Textilwaren *textiles;* die Angabe *information;* der Rohstoffgehalt *content of raw materials;* enthalten *to contain;* festlegen *to establish;* erfolgen *to take place;* eingewebt *woven into;* eingenäht *sewn in;* angebracht sein *to be printed on;* die Baumwolle *cotton;* Schurwolle *virgin wool;* verarbeiten *to process*

Der Begriff° „Seide°" ist dem Naturprodukt vorbehalten°, das ausschliesslich° aus Kokons° seidenspinnender Insekten gewonnen wird.

Für Erzeugnisse° mit mehreren textilen Rohstoffen müssen die einzelnen Rohstoffe mit ihren Gewichtsanteilen° angegeben werden, z. B. 40% Baumwolle, 40% Polyester, 20% Acryl.

Neben der gesetzlich vorgeschriebenen Warenbezeichnung helfen dem Verbraucher Gütezeichen°, die von Gütegemeinschaften° entwickelt wurden. Diese Gütezeichen garantieren, dass die Waren die Eigenschaften besitzen, die sie haben müssen. Beispiele von Gütezeichen sind: Internationales Wollsiegel°, Leinensiegel°, Deutsches Weinsiegel, Butter- und Käsesiegel, Gütezeichen für umweltfreundliche Produkte, etc.

Halbleinen, Reinleinen
Diese beiden Gütezeichen wurden vor 40 Jahren im Textilbereich geschaffen. Für beide »Schwurhand«- Gütezeichen ist festgelegt, daß die Ware bei Reinleinen in Kette und Schuß aus reinem Leinengarn (Flachs), bei Halbleinen in Kette aus reiner Baumwolle, im Schuß aus reinem Leinengarn bestehen muß.

Butter und Käse
Das gesetzliche Gütezeichen (Bundesadler) dient zur Kennzeichnung von »Deutscher Markenbutter« und »Deutschem Markenkäse«, deren Qualitätsherstellung strenger behördlicher Überwachung unterliegt, nämlich monatlichen Gütekontrollen in den Molkereien durch die amtlichen Stellen der Bundesländer.

Internationales Wollsiegel
Ein weltweites Bildsymbol für reine Schurwolle, in über 100 Ländern als Warenzeichen geschützt und in der Bundesrepublik Deutschland als Gütezeichen anerkannt. Es dient als Ausweis für qualitativ hochwertige Erzeugnisse aus reiner Schurwolle.

Reine Schurwolle

Deutsches Weinsiegel
Das Gütezeichen in roter Farbe ist für geprüfte Flaschenweine, deren Güte an verdeckten Proben von neutralen Fachkommissionen bestätigt worden ist. Es gibt auch ein Weinsiegel in gelber Farbe, das speziell für »trockene« Weine verwendet wird. Gütegrundlage und Güteüberwachung entsprechen denen beim roten Weinsiegel.

Umweltfreundliche Produkte
Das Gütezeichen dient zur Kennzeichnung ausgewählter Produkte, die sich durch umweltfreundliche Herstellungsverfahren bzw. durch umweltfreundlichen Gebrauch auszeichnen.

der Begriff *concept*; die Seide *silk*; vorbehalten sein *to be reserved for*; ausschliesslich *exclusively*; der Kokon *cocoon*; das Erzeugnis *product*; der Gewichtsanteil *percentage of (total) weight*; das Gütezeichen *symbol of quality*; die Gütegemeinschaft *association that sets quality standards*; das Siegel *seal*; das Leinen *linen*; **Halbleinen, Reinleinen:** die Schwurhand *hand raised to take an oath*; in Kette und Schuss *in warp and woof*; das Leinengarn *linen yarn*; der Flachs *flax*; **Butter und Käse:** behördlich *official, by the authorities*; unterliegen *to be subject to*; amtlich *official*; die Stelle *authority*; **Wollsiegel:** das Warenzeichen *trademark*; (gesetzlich) geschützt *patented*; hochwertig *superior*; **Deutsches Weinsiegel:** die Fachkommission *panel of experts*; bestätigen *to certify*; die Gütegrundlage *basis for quality*; die Güteüberwachung *quality control*; **Umweltfreundliche Produkte:** das Herstellungsverfahren *manufacturing process*; bzw. = beziehungsweise *that is to say*; auszeichnen *to distinguish oneself*

Neben den Gütesiegeln haben Textilien auch Symbole, die für ihre Pflegebehandlung° wichtig sind.

Waschen (Hand- und Maschinen- wäsche) Symbol: Waschbottich	[95] Normal- waschgang	[95] Schon- waschgang (wasch- tech- nisch mildere Behand- lung z. B. pflege- leicht)	[60] Normal- waschgang	[60] Schon- waschgang (wasch- tech- nisch mildere Behand- lung z. B. pflege- leicht)	[40] Normal- waschgang	[40] [30] Schonwaschgang (waschtechnisch mildere Behandlung z. B. pflegeleicht)		nicht waschen
Chloren Symbol: Dreieck	△Cl chloren möglich							⊠ nicht chloren
Bügeln Symbol: Bugeleisen	⌐••• starke Einstellung		⌐•• mittlere Einstellung		⌐• schwache Einstellung			⊠ nicht bugeln
	Die Punkte entsprechen den auf manchen Regler - Bügel-		eisen noch zusätzlich verwen- deten Temperaturbereichen,		die zwar nicht einheitlich, über- wiegend aber abgestellt sind auf:			
	Baumwolle Leinen		Wolle, Seide, Polyester, Viskose		Chemiefasern, z. B. Polyacryl, Polyamid, Acetat			
Chemisch- reinigen Symbol: Reinigungs- trommel	Ⓐ normale Kleidung	Ⓟ normale Kleidung	Ⓟ reinigungstech- nisch empfind- liche Kleidung		Ⓕ normale Kleidung	Ⓕ reinigungstech- nisch empfind- liche Kleidung		⊗ nicht chemisch reinigen
	Der Kreis sagt, ob in organischen Lö- semitteln gereinigt werden kann oder		nicht. Die Buchstaben sind lediglich für die Chemischreinigung bestimmt		und geben einen Hinweis für die in Frage kommende Reinigungsart.			

geprüfte Sicherheit

Beim Kauf von Geräten (Haushaltsgeräte, Sportgeräte, Spielzeuge, etc.) sollte der Käufer auch darauf achten, dass das angebotene Gerät auch das Sicherheitszeichen° trägt. Das Gerätesicherheitsgesetz verpflichtet° nämlich Hersteller und Importeure nur solche Geräte auf den Markt zu bringen, die sicher sind.

Die sichere Gestaltung° eines Gerätes genügt jedoch nicht. Ein gefahrloser Gebrauch ist erst dann sichergestellt°, wenn auch die dem Gerät beiliegende Gebrauchsanweisung° genau eingehalten° wird. Nach der Verordnung für gefährliche Arbeitsstoffe° ist der Hersteller und der Vertreiber° verpflichtet, gefährliche Eigenschaften durch standardisierte Gefahrensymbole aufzuweisen°.

Ziel dieser Gesetzgebung° für die Kennzeichnung von Lebensmitteln, Textilien und Geräten ist es, den Verbraucher vor gesundheitlichen Gefahren und vor wirtschaftlichen Nachteilen zu schützen.

Explosions- gefährlich | Leicht entzündlich | Brand- fördernd

Gift | Ätzend | Gesundheits- schädlich

die Pflegebehandlung *care;* das Sicherheitszeichen *safety symbol;* verpflichten *to commit;* die Gestaltung *construction;* sicherstellen *to guarantee;* die Gebrauchsanweisung *instructions (for use);* einhalten *to observe;* der Arbeitsstoff *material;* der Vertreiber *distributor;* aufweisen *to point out;* die Gesetzgebung *legislation;* explosionsgefährlich *danger of explosion;* leicht entzündlich *highly flammable;* brandfördernd *fire promoting;* das Gift *poison;* ätzend *caustic;* gesundheitsschädlich *noxious*

die Angabe, -n *information*
das Angebot, -e *offer, supply*
die Art, -en *type, kind*
die Baumwolle *cotton*
der Begriff, -e *concept, designation*
der Bürger, - *citizen*
die Eigenschaft, -en *characteristic*
das Erzeugnis, -se *product*
das Etikett, -e *label*
die Fülle *abundance*
die Gebrauchsanweisung, -en *instructions (for use)*
die Gesetzgebung *legislation*
der Gewichtsanteil, -e *percentage of (total) weight*
die Gewichtsklasse, -n *weight class*
das Gütezeichen, - *symbol of quality*
die Handelsklasse, -n *class of quality*
das Haltbarkeitsdatum *date indicating how long a product can safely be sold*
die Herkunft *origin*
der Hersteller, - *manufacturer*
das Herstellungsdatum *date of manufacture*
der Inhalt *contents*
die Kennzeichnung *labelling*
das Lebensmittelgesetz, -e *law pertaining to selling of food products*
das Leinen *linen*
der Mangel, · *defect, blemish*
die Markenbutter *brand name butter*
das Marktangebot *items available at the market*
die Menge, -n *quantity*
das Merkmal, -e *feature, characteristic*
die Molkereibutter *dairy butter*
die Nahrungsmittelindustrie *food industry*
die Packung, -en *packet, wrapper*
die Pflegebehandlung *care*
die Pflicht, -en *obligation*
der Preis, -e *price*
die Qualität, -en *quality*
die Qualitätsklasse, -n *class of quality*
die Rohstoffbezeichnung *labelling of raw materials*

der Rohstoffgehalt *content of raw materials*
die Schurwolle *new wool*
die Seide *silk*
das Selbstbedienungsgeschäft, -e *self-service store*
das Sicherheitszeichen, - *safety symbol*
das Siegel, - *seal*
das Symbol, -e *symbol*
die Textilwaren (pl) *textiles*
der Umfang *extent*
die Verordnung, -en *regulation*
die Verpackung, -en *packaging, wrapper*
das Versandhaus, ·er *mail-order house*
das Vordringen *advance*
das Warenhaus, ·er *department store*
das Warenzeichen, - *trademark*
der Zustand, ·e *condition*

achten auf A *to look out for, watch out for*
s. auskennen (a, a) mit *to be familiar with*
s. befassen mit *to concern oneself with*
einhalten (ä, ie, a) *to observe*
enthalten (ä, ie, a) *to contain*
entsprechen (i, a, o) D *to correspond to*
erfolgen *to take place*
erleichtern D *to make (it) easy for*
ermöglichen *to make possible*
festlegen *to establish*
garantieren *to guarantee*
gelten (i, a, o) für *to apply to*
hinzulernen *to learn something new*
kennzeichnen *to mark (with a price, etc.)*
s. richten nach *to follow (regulations)*
schützen vor *to protect from*
sicherstellen *to guarantee*
sortieren *to sort*
verarbeiten *to process*
vergehen (i, a) *to go by (time)*
vergleichen (i, i) *to compare*
verpflichten *to commit*
s. versorgen *to take care of oneself*
zulassen (ä, ie, a) *to permit*

angeboten bekommen *to be offered*
angebracht sein *to be printed on*

angewiesen sein auf (sich selbst) *to be left to one's own resources*
in Berührung kommen mit *to come in contact with*
überwältigt sein von *to be overwhelmed by*
vorbehalten sein *to be reserved for*

äusser- *external*
eingenäht *sewn in*
eingewebt *woven into*

hervorragend *excellent*
mittler- *medium*
tierisch *animal (adj)*
umweltfreundlich *not harmful to the environment*
wesentlich *essential*

ausschliesslich *exclusively*
heutzutage *nowadays*

- **Kennen Sie sich mit der Qualität der Ware aus?**
  Are you familiar with the quality of the merchandise?
- **Ich bin von der Fülle des Angebots überwältigt.**
  I am overwhelmed by the huge selection.
- **Alle Lebensmittel sind gut gekennzeichnet.**
  All food items are well-marked (indicating quality and price).
- **Auf jeder Packung stehen die Art und die Menge des Inhalts.**
  On each wrapper the type and the quantity of the contents are listed.
- **Bei der Wurst, zum Beispiel, ist das Herstellungsdatum und das Haltbarkeitsdatum angegeben.**
  Sausage, for example, lists the date of manufacture and the date until which the product can safely be sold.
- **Obst und Gemüse haben vier Qualitätsklassen, Eier drei.**
  Fruit and vegetables have four classes of quality, eggs have three.
- **Textilien enthalten Angaben über den Rohstoffgehalt.**
  Textiles carry information about the raw material content.
- **Es gibt auch Gütezeichen und andere Symbole, die etwas über die Qualität eines Produktes aussagen.**
  There are also seals of quality and other symbols that give information about the quality of a product.

Fragen zum Inhalt

1. Seit wann lernt Andrea so viel hinzu?
2. Was ist ihr auf einmal klargeworden?
3. Was hat sie als Studentin getan?
4. Warum lernt sie jetzt mehr über die Dinge des alltäglichen Lebens?
5. Was ist ihr anfangs beim Einkaufen schwergefallen?
6. Durch wen hat sie etwas über Preise und Qualität beim Einkaufen gelernt?
7. Wie werden heutzutage die meisten Waren angeboten?
8. Worüber soll der Käufer durch die Kennzeichnung der Ware unterrichtet werden?
9. Was ist in einer Verordnung festgelegt?
10. Wofür gilt diese Verordnung?

11. Was muss der Hersteller auf der Verpackung angeben? Und bei Lebensmitteln tierischer Herkunft?
12. Welche Handels- und Qualitätsklassen gibt es für Obst und Gemüse? Beschreiben Sie diese!
13. Wie ist es bei der Butter?
14. Beschreiben Sie die Handels- und Gewichtsklassen für Eier!
15. Welche Vorteile hat die Kennzeichnung nach Handelsklassen für den Käufer?
16. Wann dürfen Textilien nur verkauft werden?
17. Wo sind diese Angaben festgelegt?
18. Was ist der Vorteil dieser Angaben?
19. Wo erfolgt die Kennzeichnung von Textilien?
20. Welche Möglichkeiten gibt es, Textilien zu kennzeichnen?
21. Welches sind die wichtigsten der ca. 40 gesetzlichen Rohstoffbezeichnungen?
22. Was darf als „Schurwolle" bezeichnet werden?
23. Was darf nur als Seide bezeichnet werden?
24. Was muss angegeben werden, wenn Erzeugnisse aus mehreren textilen Rohstoffen bestehen?
25. Was sind Gütezeichen? Wer hat sie entwickelt? Was garantieren sie?
26. Nennen Sie einige Beispiele für Gütezeichen!
27. Was gibt es auch noch für Textilien?
28. Worauf sollte der Käufer beim Kauf von Geräten achten?
29. Was sagt das Gerätesicherheitsgesetz?
30. Wann ist ein gefahrloser Gebrauch von Geräten sichergestellt?
31. Wozu sind Hersteller und Vertreiber auch verpflichtet?
32. Welche Gefahrensymbole gibt es?
33. Was ist das Ziel der Gesetzgebung für die Kennzeichnung von Lebensmitteln, Textilien und Geräten?

Fragen zum Überlegen und Diskutieren

1. Kennen Sie sich beim Einkaufen von Lebensmitteln mit Preisen und Qualitäten von verschiedenen Waren aus? — Fragen Sie Ihre Klassenkameraden, und diskutieren Sie über diese Frage!
2. Sehen Sie sich in einem Geschäft die Verpackungen verschiedener Lebensmittel an, und besprechen Sie danach mit Ihren Klassenkameraden, was Sie herausgefunden haben!
3. Warum ist die Kennzeichnung von Lebensmitteln heutzutage so wichtig? Wie waren Lebensmittel früher gekennzeichnet?
4. Sehen Sie sich verschiedene Textilien an, und diskutieren Sie danach mit Ihren Klassenkameraden, welche Rohstoffbezeichnungen Sie gefunden haben und wo, und welche Gütezeichen und welche Pflegesymbole Sie entdeckt haben!
5. Sehen Sie sich in einem Geschäft verschiedene Geräte an, und suchen Sie nach Sicherheitszeichen! Berichten Sie, was Sie gefunden haben!
6. Kennen Sie gefährliche Arbeitsstoffe, die bestimmte Gefahrensymbole haben?

21 | Beim Einkaufen – Preise vergleichen

Erst als Andrea etwas über die Qualitätskennzeichnung° von Waren gelernt hatte, war es ihr möglich, die Preise von angebotenen Waren richtig zu vergleichen. Ein halbes Kilo „*Golden Delicious*" der Handelsklasse° I ist nun mal eben teurer als ein halbes Kilo der gleichen Apfelsorte der Handelsklasse II. Es kann aber auch sein, dass die gleichen Äpfel derselben Handelsklasse am Obst- und Gemüsestand an der Strassenecke billiger sind als auf dem Gemüsemarkt im Zentrum der Stadt.

die Qualitätskennzeichnung *designation of quality;*   die Handelsklasse *grade (of quality)*

Um dem Kunden einen Preisvergleich möglich zu machen, gibt es auch genaue Verordnungen° über Preisangaben°, z.B.:

a. Der Einzelhandel° muss ausgestellte° Waren deutlich mit Preisangaben versehen°. Ausnahmen° sind z.B. Kunstgegenstände° oder Antiquitäten.

b. Die Preisangabepflicht° besteht auch für Kataloge zur Warenbestellung.

c. Benzinpreise müssen für den in den Tankstellenbereich° einfahrenden Autofahrer deutlich lesbar sein.

d. Wer Leistungen° anbietet (Friseur, Chemische Reinigung) muss in seinem Geschäft und ggf.° im Schaufenster° Preisverzeichnisse° anbringen. In Ausnahmefällen° wie z.B. beim Reisebüro genügt die Bereithaltung° von Preisverzeichnissen für den Kunden zur Einsicht°.

---

die Verordnung *regulation;* die Preisangabe *price;* der Einzelhandel *retail store;* ausstellen *to display;* versehen mit *to supply with;* die Ausnahme *exception;* der Kunstgegenstand *object of art;* die Preisangabepflicht *obligation to price (items for sale);* der Bereich *area;* die Leistung *service;* ggf. = gegebenenfalls *if necessary;* das Schaufenster *window display;* das Preisverzeichnis *price list;* der Ausnahmefall *exception;* die Bereithaltung *availability;* zur Einsicht *for examination*

Art. Nr. 322

Mehrstückpackung 3 x 100 g

Kakao: 50% mindestens

4 005500 532224

Strichcode

4 001895 000027

4 000521 103002

Im allgemeinen° sind Endpreise anzugeben, einschliesslich° Mehrwertsteuer°. Verbraucher sollten auf die ordnungsgemässe° Preisauszeichnung° Wert legen°, und etwaige° Mängel° dem Gewerbetreibenden° melden. Bei Verstössen° gegen die Verordnung von Preisauszeichnungen sollte man sich am besten an die nächstliegende Verbraucherberatungsstelle° oder an die Industrie- und Handelskammer° wenden.

Immer häufiger findet der Verbraucher den Strichcode auf Waren des täglichen Bedarfs°. Es handelt° sich hier um eine verschlüsselte°, in Europa einheitliche° Artikelnumerierung. Für den Verbraucher hat der Strichcode erst dann Bedeutung, wenn über ein Lesegerät an der Ladenkasse der Verkaufspreis von einem Datenspeicher° abgerufen° wird. Preis und Artikelbezeichnung werden für den Kunden auf einer Leuchtanzeige° sichtbar° und ausserdem auf dem Kassenzettel ausgedruckt°.

Die Preisangabenverordnung lässt aber den Strichcode nur dann zu°, wenn die Ware im Regal mit deutlich lesbaren Preisschildern ausgezeichnet° ist. Im übrigen muss die Preisauszeichnung richtig sein, d.h. dass der Preis, der in der Datenkasse gespeichert° ist, mit dem Preis auf dem Preisschild übereinstimmt°.

Beim Kauf von Waren haben Sie Anspruch darauf°, eine mangelfreie° Ware zu erhalten. Zeigen neugekaufte Waren Mängel auf, so können Sie entweder die mangelhafte° Ware gegen Rückzahlung des Kaufpreises zurückgeben oder eine Preisminderung° oder ggf. mangelfreie Ersatzware° (Umtausch) verlangen.

Artikel-Nr.: 4007   Preis: 24.90

Typ: _____

Verkaufsstelle: **Suma, München**

Händler: _____

Name des Kunden: _____

Straße: _____

PLZ: _____ Ort: _____

Datum des Verkaufs: 02.08.80.

Im Garantiefall bitten wir, den defekten Artikel zusammen mit dem Garantieschein bei einer der Verkaufsstellen von Bongers & Sistig GmbH abzugeben oder direkt einzusenden an:

**Bongers & Sistig GmbH
Lindenstraße 19**

D - 5000 Köln 1

— Keine Haftung auf Batterien —

---

im allgemeinen *in general*; einschliesslich *including*; die Mehrwertsteuer *value-added tax*; ordnungsgemäss *required by law*; die Preisauszeichnung *labeling, tagging*; Wert legen auf *to attach importance to*; etwaig- *possible*; der Mangel *deficiency*; der Gewerbetreibende *manufacturer*; bei Verstössen *in case of violations*; die Verbraucherberatungsstelle *consumer advisory office*; die Industrie- und Handelskammer *Chamber of Commerce*; der Bedarf *necessity*; es handelt sich hier um . . . *the point in question is . . .*; verschlüsselt *coded*; einheitlich *uniform*; der Datenspeicher *memory bank*; abrufen *to call off*; die Leuchtanzeige *illuminated screen*; sichtbar *visible*; ausdrucken *to print out*; zulassen *to permit*; auszeichnen *to price*; speichern *to store*; übereinstimmen mit *to agree with*; Anspruch haben auf *to be entitled to*; mangelfrei *free from defects, perfect*; mangelhaft *defective*; die Preisminderung *price reduction*; die Ersatzware *substitute merchandise*

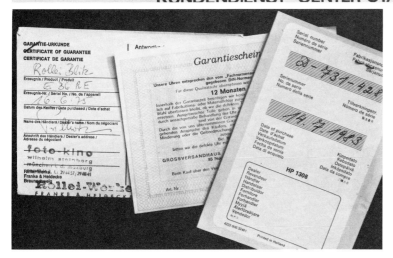

▲ Das Kundendienst–Center bei Hertie hat ein grosses Service–Angebot. Diskutieren Sie, was hier alles angeboten wird!

Schadenersatz° kann man nur dann verlangen, wenn der Ware eine zugesicherte Eigenschaft° fehlt, eine Eigenschaft, die der Verkäufer versprochen hat.

Bei Geräten (Uhren, Haushaltsgeräte, usw.) sollten Sie immer darauf achten, dass Sie beim Kauf einen Garantieschein des Herstellers erhalten. Mit diesem Garantieschein haben Sie innerhalb einer bestimmten Frist° den Anspruch, dass Ihnen der Artikel kostenlos ersetzt° oder repariert wird.

---

der Schadenersatz *damages;* die Eigenschaft *characteristic;* die Frist *a specified amount of time;* ersetzen *to replace*

In einem Büro der Stiftung Warentest in Berlin

Das Angebot von Waren und Dienstleistungen° wird von Jahr zu Jahr grösser und vielfältiger. Der Verbraucher ist daher immer mehr auf Informationen fachkundiger° Stellen, vor allem über Qualität, Preiswürdigkeit, Reparaturfreundlichkeit usw. der einzelnen Produkte und Leistungen, angewiesen. Deshalb befasst sich eine Vielzahl von privaten und teilweise auch öffentlichen Institutionen mit der Prüfung von Angeboten und veröffentlicht° die Testergebnisse.

Unabhängigkeit und Neutralität sind vor allem bei der gemeinnützigen° Stiftung° *Warentest* gewährleistet°, die keinen Gewinn erzielen° darf und für ihre Arbeit öffentliche Mittel erhält. Ihre vergleichenden Warentests, Dienstleistungsuntersuchungen und Preisvergleiche werden in der Monatszeitschrift „*test*" veröffentlicht, die Anzeigen gewerblicher° Unternehmen° nicht aufnimmt.

---

die Dienstleistung *service;* fachkundig *expert;* veröffentlichen *to publish;* gemeinnützig *non-profit;* die Stiftung *foundation;* gewährleisten *to guarantee;* erzielen *to realize, obtain;* gewerblich *commercial, industrial;* das Unternehmen *enterprise*

Die Zeitschrift „test" wird über den Zeitschriftenhandel verkauft und liegt auch in den Verbraucherberatungsstellen auf°. Zudem erscheinen die Ergebnisse in Kurzform als „test-kompass" in vielen Zeitungen und Zeitschriften.

Diese Informationen sollte der Konsumer nutzen°, zumindest° vor grossen Anschaffungen°. Man sollte aber auch nicht vergessen, Testveröffentlichungen kritisch und mit Sorgfalt° auszuwerten°.

Das Test Magazin ist bei den Verbrauchern beliebt.

Das Informationszentrum muss täglich viele Anrufe beantworten.

Eishockey-Complets: Nicht nur Sportler, sondern auch ganz »normale« Eisläufer ziehen sich Eishockey-Complets an, wenn es zum Schlittschuhlaufen geht. Daß das sportliche Image häufig allzu trügerisch ist, zeigt unser Test von 22 Complets. Seite 32

Squash-Schläger: Squash, das superschnelle Konditionsspiel, verlangt nicht nur vom Organismus eine Menge. Die Schläger sind harten Belastungen ausgesetzt, müssen mal einen Schlag gegen die Wand oder auf den Boden aushalten. Seite 38

Hier wird eine vollautomatische Waschmaschine getestet.

---

aufliegen *to be on display;* nutzen *to use;* zumindest *at least;* die Anschaffung *purchase;* die Sorgfalt *care;* auswerten *to evaluate*

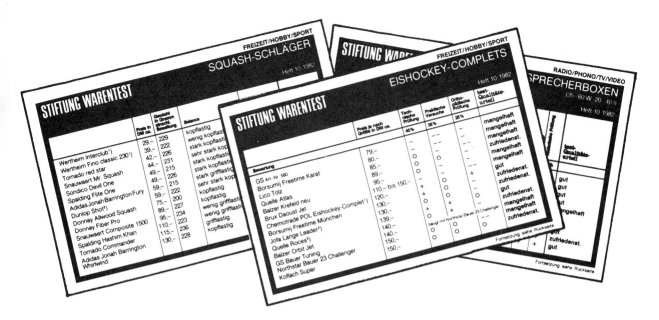

WORTSCHATZ UND REDEWENDUNGEN

das **Angebot, -e** *offer*
die **Anschaffung, -en** *purchase*
die **Antiquitäten** (pl) *antiques, curios*
die **Artikelbezeichnung, -en** *labeling of merchandise*
die **Ausnahme, -n** *exception*
der **Ausnahmefall, ⸚e** *exception*
der **Bedarf** *necessity*
die **Bereithaltung** *availability*
die **Datenkasse, -n** *computerized cash register storing merchandise data*
der **Datenspeicher, -** *memory bank*
die **Dienstleistung, -en** *service*
der **Einzelhandel** *retail business*
die **Ersatzware, -n** *substitute merchandise*
die **Frist** *specified amount of time*
der **Garantieschein, -e** *guarantee slip*
der **Gewerbetreibende, -n** *manufacturer*
der **Gewinn, -e** *profit*
die **Handelsklasse** *grade (of quality)*
die **Industrie- und Handelskammer** *Chamber of Commerce*
der **Katalog, -e** *catalog*
der **Kunstgegenstand, ⸚e** *object of art*
die **Ladenkasse, -n** *cash register*
die **Leistung, -en** *service*

das **Lesegerät, -e** *read-off screen*
die **Leuchtanzeige, -n** *illuminated screen*
der **Mangel, ⸚** *defect*
die **Mehrwertsteuer, -n** *value-added tax*
die **Mittel** (pl) *means*
die **Neutralität** *neutrality*
die **Preisangabe, -n** *price*
die **Preisangabpflicht** *obligation to price (items for sale)*
die **Preisangabeverordnung, -en** *pricing regulation*
die **Preisauszeichnung** *price display, labeling*
die **Preisminderung** *price reduction*
das **Preisschild, -er** *price tag*
der **Preisvergleich, -e** *comparison of prices*
das **Preisverzeichnis, -se** *price list*
die **Preiswürdigkeit** *value*
die **Qualitätskennzeichnung** *designation of quality*
die **Reinigung, -en** *cleaners*
die **Reparaturfreundlichkeit** *good repair record*
das **Schaufenster, -** *display window*
die **Sorgfalt** *care*
die **Stiftung, -en** *foundation*

der **Strichcode** *bar code*
der **Tankstellenbereich** *area of the filling station*
die **Testveröffentlichung, -en** *publication of test results*
der **Umtausch** *exchange*
die **Unabhängigkeit** *independence*
das **Unternehmen, -** *enterprise*
die **Untersuchung, -en** *investigation*
die **Verbraucherberatungsstelle, -n** *consumer advisory office*
die **Verordnung, -en** *regulation*
die **Vielzahl** *multitude*

abrufen (ie, u) *to call off*
anbringen *to display*
angeben (i, a, e) *to post, list*
aufliegen (a, e) *to be on display*
aufnehmen (i, a, o) *to accept*
ausdrucken *to print out*
ausstellen *to display*
auswerten *to evaluate*
auszeichnen *to price*
ersetzen *to replace*
erzielen *to realize, obtain*
gewährleisten *to guarantee*
melden *to report*
nutzen *to use*
speichern *to store*
übereinstimmen mit *to be in agreement with*
veröffentlichen *to publish*
versehen mit (ie, a, e) *to supply with*

zulassen (ä, ie, a) *to permit*

Anspruch haben auf A *to be entitled to*
einen Gewinn erzielen *to make a profit*
es handelt sich hier um *the point in question is*
Wert legen auf A *to attach importance to*

deutlich *clear(ly)*
einheitlich *uniform*
etwaig- *possible*
fachkundig *expert*
gemeinnützig *non-profit*
gewerblich *industrial*
lesbar *legible*
mangelfrei *free from defects, perfect*
mangelhaft *defective*
öffentlich *public*
ordnungsgemäss *lawful, according to law*
sichtbar *visible*
verschlüsselt *coded*
vielfältig *varied*

ausgestellte Waren *displayed merchandise*
bei Verstössen *in case of violations*
einschliesslich *including*
ggf. = gegebenenfalls *if necessary*
im allgemeinen *in general*
innerhalb (gen) *within*
zumindest *at least*
zur Einsicht *for inspection*
zur Warenbestellung *for ordering merchandise*

- **Kennen Sie sich mit den Preisen der ausgestellten Waren aus?**
  Are you familiar with the prices of the displayed merchandise?
- **Jede Ware muss mit einem Preis versehen sein.**
  Each article must be marked with a price.
- **Der Endpreis muss angegeben werden, einschliesslich Mehrwertsteuer.**
  The final price must be given, including value-added-tax.
- **Und was ist mit Waren, die einen Strichcode haben?**
  And what about merchandise that has a bar code?
- **Solche Waren müssen im Regal mit einem Preisschild ausgezeichnet sein.**
  Such merchandise must have a price in front of it on the shelf.
- **Was tue ich, wenn ich einen mangelhaften Artikel kaufe?**
  What do I do if I buy a defective article?
- **Sie können den Artikel zurückgeben, und Sie bekommen Ihr Geld zurück.**
  You can return the article and you'll get your money back.

- **Beim Kauf von Geräten sollten Sie darauf achten, dass Sie einen Garantieschein erhalten.**
  When buying small appliances you should always be sure you get a warranty.

Fragen zum Inhalt

1. Wann war es der Andrea erst möglich, die Preise von Waren richtig zu vergleichen?
2. Was macht dem Kunden einen Preisvergleich möglich?
3. Was müssen ausgestellte Waren haben? Gibt es auch Ausnahmen?
4. Wie ist es mit Preisen in Katalogen?
5. Und mit Benzinpreisen?
6. Was muss ein Geschäft tun, das Leistungen anbietet? Gibt es Ausnahmefälle?
7. Was für Preise sind im allgemeinen anzugeben?
8. Worauf sollten Verbraucher Wert legen?
9. Was sollten sie tun, wenn sie etwaige Mängel bemerken?
10. Was sollten Verbraucher am besten bei Verstössen tun?
11. Was findet der Verbraucher heute immer häufiger auf Waren des täglichen Bedarfs?
12. Worum handelt es sich beim Strichcode?
13. Wann hat der Strichcode für den Verbraucher erst Bedeutung?
14. Wann wird der Strichcode erst zugelassen?
15. Wann ist der Strichcode für einen Artikel richtig?
16. Worauf hat der Käufer beim Kauf von Waren Anspruch?
17. Was kann der Käufer tun, wenn neugekaufte Waren Mängel aufzeigen?
18. Wann kann man erst Schadenersatz verlangen?
19. Worauf sollte man beim Kauf von Geräten achten?
20. Was garantiert ein Garantieschein?
21. Worauf ist der Verbraucher heutzutage immer mehr angewiesen? Warum?
22. Womit befassen sich heute private und öffentliche Institutionen?
23. Was gewährleistet die Stiftung *Warentest*?
24. Was wird in der Zeitschrift „test" veröffentlicht?
25. Wo kann man diese Zeitschrift erhalten?
26. Wo erscheinen Testergebnisse in Kurzform?
27. Was sollte der Konsumer aber nicht vergessen?

Fragen zum Überlegen und Diskutieren

1. Diskutieren Sie, wie Sie in Ihrer Gegend über Preise von Waren und Dienstleistungen informiert werden!
2. Werden bei Ihnen immer Endpreise angegeben?
3. Was tun Sie, wenn in einem Geschäft verschiedene Artikel, die Sie kaufen wollen, nicht mit einem Preis ausgezeichnet sind?
4. Welche Vorteile und welche Nachteile sehen Sie für den Konsumer, der Waren einkauft, die einen Strichcode haben?
5. Was tun Sie, wenn Sie eine Ware gekauft haben, die bald gewisse Mängel aufzeigt? —Ist Ihnen so etwas schon einmal passiert? Berichten Sie darüber!
6. Wie können Sie sich vor einer grösseren Anschaffung über die Qualität des Artikels informieren?

Einen Bankkredit aufnehmen° | 22

Andrea trägt° sich mit dem Gedanken, sich ein eigenes Fernsehgerät zu kaufen. Im Studentenheim gab es auf jedem Stockwerk im Gemeinschaftsraum° einen Fernseher, und Andrea hatte sich an einige Sendungen sehr gewöhnt. Sie könnte zwar bei ihren Vermietern° ab und zu mitfernsehen, doch sehen sich die Vogts oft Sendungen an, die für sie von geringerem Interesse sind.

Für 500 bis 600 Mark könnte sie schon ein Gerät kaufen, aber diese Summe hat sie eben noch nicht gespart. Soll sie ihre Eltern um einen Vorschuss° bitten, oder soll sie mit dem Kauf warten? Oder soll sie versuchen, bei ihrer Bank einen persönlichen Kredit zu beantragen°?

Andrea hat sich in ihrer Bank beraten° lassen. Einen Dispositionskredit° bekommt sie noch nicht. So einen Kredit bekommt man in der Regel° erst, wenn auf das Gehaltskonto etwa sechs Monate regelmässige Zahlungen eingegangen° sind. So ein Kredit wäre vorteilhaft°, weil die Zinsen° relativ gering sind. Die Höhe eines solchen Dispositionskredits beträgt in der Regel etwa zwei Monatsgehälter.

Farbportable ITT 3103
37 cm Bild,
8 Programme **799,-**

Farbfernseher
Blaupunkt
Colombo I16NN
67 cm Bild, 16 Programme, Sendersuchlauf,
Infra-
rot-FB **1.695,-**

Stereo-Farbfernseher
ITT 3793 NN 67 cm Bild,
32 Programme, 30 W, incl.
Infra-
rot-FB **2.195,-**
in metallic 2.245,-

Fernseher

Mini-Fernseher-Radio-
Kombination Nord-
mende TR 101
UKW, MW, LW, 5 cm Bild,
Batterie-/
Netzbetrieb **299,-**

Mini-Colorgerät
Orion 8100
14 cm Bild, 6 Programme,
mit 3-Wellen-Radio und
Cassetten-
recorder **895,-**

Farbportable
Toshiba C 1401
36 cm Bild,
8 Programme,
AV-Taste **699,-**

Farbfernseher
Toshiba C-2006
51 cm Bild, 8 Programme,
incl. Infra-
rot-FB **1.095,-**

---

einen Bankkredit aufnehmen *to take out a bank loan;* s. mit dem Gedanken tragen *to toy with the idea;* der Gemeinschaftsraum *recreation room;* der Vermieter *landlord;* der Vorschuss *(cash) advance;* beantragen *to apply for;* s. beraten lassen *to seek advice;* der Dispositionskredit *non-restricted credit;* in der Regel *as a rule;* eingehen *to receive;* vorteilhaft *advantageous;* die Zinsen (pl) *interest*

Antrag für				
Privatkredit	auszuzahlender Kreditbetrag	DM 1.000,00	Darlehens-Kontonummer	26 542
	Beitrag für die + Restsch.-Vers.	DM	Fälligkeit der 1.Rate (6-stellig)	25.11.82
	Kreditbetrag	DM 1.000,00	Betrag für die 1.Rate DM	130,00
	+0,5% Zins p.Mt.	DM 60,00	Betrag für die Folgeraten DM	80,00
München	+2% Bearb.-Geb.	DM 30,00	Ratenzahl insgesamt. (einschl.1.Rate)	12
	+	DM	Die Folgeraten sind Fällig am ☐ 8. ☒ 25. jed. Monats	
	Gesamtdarlehen	DM 1.090,00	Effektiver Jahreszins: 20,93%	0,5 Zinssatz p. Mt.

Ausfertigung für den Kunden
(Bitte Hinweis auf der Rückseite beachten)

Kundenberaterschlüssel 102

Name des Antragstellers	Vorname		
Krueger	Andrea		
Geburtsdatum	Familienstand	unterhaltsber. Personen	Beruf
18.8.1961	led.		Sekretärin

Gastarbeiter ☐

Anschrift (falls innerhalb der letzten 6 Monate verzogen, auch letzte Anschrift)

Die Kreditberaterin hat ihr deshalb vorgeschlagen, einen persönlichen Kredit, einen Konsumentenkredit, zu beantragen. Der moderne, persönliche Kredit ist für alle Anschaffungen° und Wünsche da, von 500 bis 30 000 Mark. Da ist ein Kredit für modernes Wohnen, für neue Möbel oder ein neues Auto. Für eine Stereoanlage oder einen Farbfernseher. Für Freizeit und Hobby. Für den kleinen Urlaub oder die grosse Traumreise.

Die Kundenberaterin nennt der Andrea den effektiven° Jahreszins, und sie sagt ihr, dass die Laufzeit° des Kredits 6, 12, 18, usw. bis 60 Monate betragen kann.

Andrea füllt ein Formular aus°. Sie beantragt einen Kredit von 1 000 Mark mit einer Laufzeit von 12 Monaten.

Die Kreditkosten setzen sich aus Zinsen und Bearbeitungsgebühren° zusammen°. Die Zinsen werden meistens pro Monat vom ursprünglichen° Kreditbetrag berechnet°. Die Bearbeitungsgebühren betragen in der Regel zwei Prozent der Kreditsumme.

Bei einem Kredit von 1 000 DM mit einer Laufzeit von 12 Monaten führen z.B. 0,5 Prozent Zinsen pro Monat, eine Bearbeitungsgebühr von zwei Prozent und 30 DM einbehaltene° Provision° für die Vermittlung° zu einem effektiven Jahreszins von 20,93 Prozent!

---

die Anschaffung *purchase;* effektiv *real;* die Laufzeit *length of time for which credit is extended;* ein Formular ausfüllen *to fill in a form;* die Bearbeitungsgebühr *service charge;* s. zusammensetzen aus *to consist of;* ursprünglich *original;* berechnen *to compute;* einbehalten *to retain;* die Provision *commission;* die Vermittlung *arrangement*

WORTSCHATZ UND REDEWENDUNGEN

die **Anschaffung, -en** *purchase*
die **Bearbeitungsgebühr, -en** *service charge*
der **Dispositionskredit, -e** *general loan*
das **Formular, -e** *form, blank*
der **Gemeinschaftsraum, ⸚e** *recreation room*
die **Höhe** *amount*
der **Jahreszins, -en** *annual interest*
der **Konsumentenkredit, -e** *consumer credit*
der **Kredit, -e** *credit, loan*
die **Laufzeit** *length of time for which credit is extended*
die **Provision, -en** *commission*

der **Vermieter, -** *landlord*
die **Vermittlung, -en** *arrangement*
der **Vorschuss, ⸚e** *(cash) advance*
die **Zahlung, -en** *payment*
die **Zinsen** (pl) *interest*

ausfüllen *to fill in (a form)*
beantragen (beantragte, hat beantragt) *to apply for*
s. beraten lassen *to seek advice*
berechnen *to compute*
betragen (ä, u, a) *to amount to*

einbehalten (ä, ie, a) *to retain*
eingehen (i, a) *to come in*
s. zusammensetzen aus *to consist of*

einen Bankkredit aufnehmen (i, a, o) *to take out a bank loan*
s. mit dem Gedanken tragen (ä, u, a) *to toy with the idea*

effektiv *real, actual*
ursprünglich *original*
vorteilhaft *advantageous*

der effektive Jahreszins *actual annual interest rate*
in der Regel *as a rule*
zwei Prozent *two percent*

- **Ich möchte einen Kredit beantragen.**
  I would like to apply for a loan.
- **Einen Dispositionskredit bekommen Sie noch nicht.**
  We cannot give you a non-restrictive credit yet.
- **Was für Vorteile hat so ein Kredit?**
  What are the advantages of such a loan?
- **Die Zinsen sind relativ gering.**
  The interest is relatively low.
- **Wir geben Ihnen aber gern einen persönlichen Kredit.**
  However we will gladly give you a personal loan.
- **Wie hoch sind die Zinsen?**
  What is the interest rate?
- **Das hängt von der Laufzeit ab.**
  That depends on the length of time for which the loan has been extended.
- **Dann zahlen Sie noch eine Bearbeitungsgebühr von zwei Prozent und eine Provision für die Vermittlung.**
  In addition you pay a two percent service charge and a commission for the arrangement of the loan.

Fragen zum Inhalt

1. Warum möchte sich Andrea ein Fernsehgerät kaufen?
2. Wie könnte sie sich das Geld dafür beschaffen?
3. Warum bekommt sie bei ihrer Bank noch keinen Dispositionskredit?
4. Wie hoch könnte so ein Kredit im allgemeinen sein, und warum ist er so vorteilhaft?
5. Was hat ihr die Kreditberaterin in ihrer Bank vorgeschlagen?
6. Wofür sind persönliche Kredite da?
7. Wie hoch ist der Kredit, den Andrea beantragt?
8. Woraus setzen sich die Kreditkosten zusammen?
9. Wie hoch ist der effektive Jahreszins, den Andrea zahlen muss?

Fragen zum Überlegen und Diskutieren

1. Was halten Sie davon, dass Andrea schon einen Kredit aufnimmt?
2. Welche Vorteile und welche Nachteile sehen Sie bei der Aufnahme eines persönlichen Kredits?
3. Unter welchen Umständen würden Sie einen Kredit aufnehmen?

Anschaffungen auf Abzahlung° | **23**

Andrea hätte ihren neuen Fernseher im Geschäft auch auf Abzahlung kaufen können. Der Kaufpreis für die Ware muss in diesem Fall° in Teilen entrichtet° werden, z.B. Anzahlung° und Raten° oder nur Raten. Zum Schutz° des Käufers gelten° hierbei die besonderen Vorschriften° des Abzahlungsgesetzes°.

   a. Der Abzahlungsvertrag° bedarf der Schriftform°.
   b. Der Käufer muss eine Vertragsabschrift° erhalten.
   c. Der Vertrag muss enthalten°:
     —den Barzahlungspreis°
     —den Teilzahlungspreis°
     —den Betrag, die Zahl und die Fälligkeit° der Raten
     —die Angabe° des effektiven Jahreszinses°

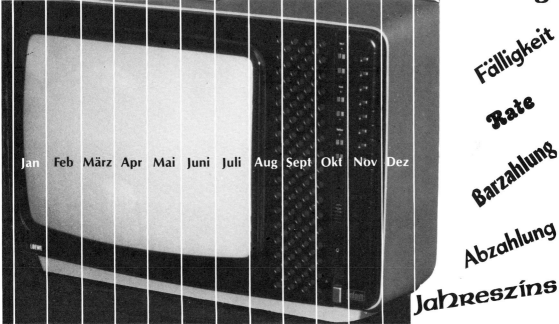

Teilzahlung
Anzahlung
Vorschrift
Vertrag
Fälligkeit
Rate
Barzahlung
Abzahlung
Jahreszins

Jan | Feb | März | Apr | Mai | Juni | Juli | Aug | Sept | Okt | Nov | Dez

---

eine Anschaffung auf Abzahlung *a purchase on the installment plan;* in diesem Fall *in this case;* in Teilen entrichten *to pay off in installments;* die Anzahlung *down payment;* die Rate *installment;* zum Schutz *for the protection of;* gelten *to be applicable;* die Vorschrift *regulation;* das Abzahlungsgesetz *law pertaining to installment purchases;* der Abzahlungsvertrag *installment contract;* bedürfen (gen): bedarf der Schriftform *must be in writing;* die Vertragsabschrift *copy of the contract;* enthalten *to contain;* der Barzahlungspreis *cash price;* der Teilzahlungspreis *installment price;* die Fälligkeit *due date;* die Angabe *listing;* der effektive Jahreszins *actual annual interest rate*

Woher das Geld fürs neue Auto?

Ein neuer Pkw kostet im Durchschnitt **13900 DM**

Finanziert durch:

Ersparnisse 8150 DM

Erlös für alten Wagen 3740 DM

Kreditaufnahme 1600 DM

Sonstige Mittel 410 DM

Bei Abzahlungsgeschäften° können Sie Ihre Kauferklärung° widerrufen°. Den Widerruf müssen Sie aber binnen° einer Woche schriftlich erklären, Sie müssen ihn nicht begründen°. Sie können sich also Ihren Kauf und die damit verbundenen Kosten zu Hause noch einmal in Ruhe überlegen.

Haben Sie vor, Ihren Kauf zu widerrufen, so sollten Sie dies rechtzeitig° tun und Ihren Widerruf mit Einschreibebrief° gegen Rückschein° abschicken.

Bei Abzahlungsgeschäften bleibt der Verkäufer in der Regel bis zur vollständigen° Bezahlung des Kaufpreises Eigentümer° der von Ihnen gekauften Ware.

Wenn Sie eine Kaufpreisrate, eine gelieferte Ware° oder eine Dienstleistung° nicht bezahlen, erhalten Sie vom Verkäufer ein Mahnschreiben°. Oft werden Ihnen darin auch Kosten für die Mahnung° berechnet°, besonders wenn Gläubiger° Rechtsanwälte° mit der Mahnung beauftragen°.

Grundsätzlich° müssen Sie die Mahnkosten nur zahlen, wenn Sie im Verzug sind°. In Verzug geraten° Sie, wenn Sie auf eine Mahnung bei Eintritt der Fälligkeit° nicht zahlen.

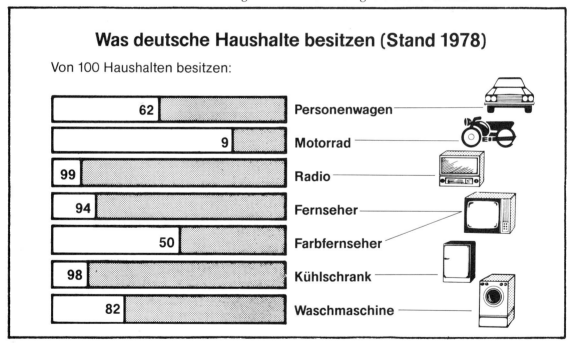

Was deutsche Haushalte besitzen (Stand 1978)

Von 100 Haushalten besitzen:

62	Personenwagen
9	Motorrad
99	Radio
94	Fernseher
50	Farbfernseher
98	Kühlschrank
82	Waschmaschine

bei Abzahlungsgeschäften *when buying on installment;* die Kauferklärung *intent to buy;* widerrufen *to cancel;* binnen (gen) *within;* begründen *to give reasons;* rechtzeitig *on time;* der Einschreibebrief *registered letter;* der Rückschein *return receipt;* vollständig *complete;* der Eigentümer *owner, title holder;* gelieferte Ware *delivered merchandise;* die Dienstleistung *service;* das Mahnschreiben *letter requesting payment;* die Mahnung *request for payment;* berechnen *to charge;* die Gläubiger (pl) *creditors;* der Rechtsanwalt *lawyer;* beauftragen mit *to entrust with;* grundsätzlich *basically;* im Verzug sein *to be in arrears;* in Verzug geraten *to get behind in payment;* bei Eintritt der Fälligkeit *at maturity*

Was deutsche Haushalte besitzen (Stand 1978)

Von 100 Haushalten besitzen:

44		**Tiefkühltruhe**
70		**Nähmaschine**
94		**Staubsauger**
70		**Telefon**

WORTSCHATZ UND REDEWENDUNGEN

die Abzahlung   *installment*
das Abzahlungsgesetz, -e *law pertaining to installment purchases*
der Abzahlungsvertrag, ⁼e   *installment loan contract*
die Anzahlung   *down payment*
der Barzahlungspreis   *cash price*
die Dienstleistung, -en   *service*
der Eigentümer, -   *owner, title holder*
der Einschreibebrief, -e   *registered letter*
die Fälligkeit   *due date*
die Gläubiger (pl)   *creditors*
die Kauferklärung, -en   *intent to purchase*
die Kaufpreisrate, -n   *installment*
die Kosten (pl)   *expenses*
die Mahnkosten (pl)   *expenses incurred due to late payment requests*
das Mahnschreiben, -   *letter requesting payment*
die Mahnung, -en   *request for payment*
die Rate, -n   *installment*
der Rechtsanwalt, ⁼e   *lawyer*
der Rückschein, -e   *return receipt*
der Teilzahlungspreis   *installment price*
der Vertrag, ⁼e   *contract*
die Vertragsabschrift, -en   *contract copy*
die Vorschrift, -en   *regulation*
der Widerruf   *cancellation*

beauftragen mit   *to entrust with*
begründen   *to give reasons*
berechnen   *to charge*
enthalten (ä, ie, a)   *to contain*
gelten (i, a, o)   *to be applicable*
widerrufen (ie, u)   *to cancel*

auf Abzahlung kaufen   *to buy on installments*
bedürfen (gen): **bedarf der Schriftform**   *must be in writing*
diese Vorschriften gelten   *these regulations apply*
in Teilen entrichten   *to pay off in installments*

grundsätzlich   *basically*
rechtzeitig   *on time*
schriftlich   *written, in writing*
vollständig   *complete*

bei Abzahlungsgeschäften   *when buying on installment*
bei Eintritt der Fälligkeit   *at maturity*
binnen (gen)   *within*
der effektive Jahreszins   *actual annual interest rate*
gelieferte Ware   *delivered merchandise*
in diesem Fall   *in this case*
mit Einschreibebrief gegen Rückschein   *by registered letter return receipt requested*
zum Schutz (gen)   *for the protection of*

• **Kann ich dieses Fernsehgerät auch auf Abzahlung kaufen?**
  Could I also buy this TV on an installment plan?

- **Natürlich. Sie zahlen 50 Mark an, und den Rest zahlen Sie in 12 monatlichen Raten.**
  Of course. You pay 50 Marks down and the rest in 12 monthly installments.
- **Wie hoch sind die Raten, und wann sind sie fällig?**
  How high are the payments and when are they due?
- **Jede Rate ist 40 Mark, und der Fälligkeitstag ist immer der 10. jedes Monats.**
  Each installment is 40 marks and the due date is always the tenth of the month.
- **Wie hoch ist dabei der effektive Jahreszins?**
  What is the actual annual interest rate in this case?
- **Der Effektivzins beläuft sich auf 17,6 Prozent.**
  The actual annual interest rate amounts to 17.6 per cent.
- **Hier ist der Abzahlungsvertrag. Sie brauchen ihn nur zu unterschreiben.**
  Here is the installment agreement. All you have to do is sign it.
- **Kann ich mir den Kauf noch einmal in Ruhe überlegen?**
  Can I think this purchase over once again in peace and quiet?
- **Sie können diesen Kauf binnen einer Woche sogar widerrufen.**
  You can even cancel this purchase within a week.

Fragen zum Inhalt

1. Wie hätte sich Andrea den neuen Fernseher auch kaufen können?
2. Wie zahlt ein Käufer, der sich etwas auf Abzahlung kauft?
3. Was gibt es zum Schutz des Käufers?
4. Welche Vorschriften hat das Abzahlungsgesetz?
5. Was kann man tun, wenn man den Artikel nicht kaufen will, für den man einen Kaufvertrag unterschrieben hat?
6. Wie kann man einen Kaufvertrag widerrufen?
7. Wie sollte man den Widerruf an die Firma schicken, bei der man den Artikel kaufen wollte?
8. Wer ist der Eigentümer von Artikeln, die auf Abzahlung gekauft wurden?
9. Was geschieht, wenn ein Käufer eine Kaufpreisrate nicht bezahlt?
10. Kostet ein Mahnschreiben auch Geld?
11. Wann muss der Käufer aber Mahnkosten zahlen?
12. Wann gerät der Käufer in Verzug?

Fragen zum Überlegen und Diskutieren

1. Was halten Sie von Anschaffungen auf Abzahlung? — Diskutieren Sie die Vor- und Nachteile eines solchen Kaufs!
2. Diskutieren Sie darüber, ob der Käufer bei einem Abzahlungsgeschäft genügend geschützt ist!

Aufgabe

Besorgen Sie sich einen Abzahlungsvertrag von einem Artikel, den sich jemand in Ihrer Familie oder in Ihrem Bekanntenkreis gekauft hat, und erklären Sie Ihren Klassenkameraden die wichtigsten Punkte dieses Vertrages!

Was der Andrea an ihrem Job gut gefällt: | **24**

Gleitzeit° und lange Ferien

Andrea hat sich verschlafen. Um eine ganze Stunde! Aber sie macht sich keine Sorgen, dass sie später als gewöhnlich im Büro erscheinen wird: ihr Betrieb hat nämlich Gleitzeit.

In der Bundesrepublik haben heutzutage schon viele Betriebe Gleitzeit, i.e. gleitende Arbeitszeit für ihre Arbeiter und Angestellten. Gleitzeit in Andreas Firma heisst, dass von 7.30 Uhr bis 16.50 Uhr die Kernzeit° (Festzeit) ist und dass sie morgens bis 8.45 Uhr gleiten° darf und nachmittags ab 16.00 Uhr. Fängt sie also um 7.15 an zu arbeiten, macht sie plus—ein Gleitzeitguthaben° von 15 Minuten, und geht sie schon um 16.00 Uhr nach Hause, so macht sie minus 50 Minuten.

Wenn Andrea also einmal eine Stunde später als gewöhnlich ins Büro kommt, so braucht sie einfach nur eine Stunde länger zu arbeiten. Sie kann diese Stunde aber auch an einem andern Tag im

Andreas Kollegin hat heute einen Tag frei, den sie sich durch Gleitzeit eingearbeitet hat.

die Gleitzeit *flexible working hours, flex-time;* die Kernzeit *basic working hours;* gleiten *to use flexible working hours;* das Guthaben *credit balance*

Backhaus • 8 München 40 • **Frankfurter Ring 17**

Zeitübersicht

Krueger Andrea

Abrechnungsmonat Oktober 1982   Stamm-Nummer 3762   Kost.-Stelle 716

Tag	Uhrzeit gemäß Stempelung		Bezahlte Fehlzeit		Nicht bez. Fehlzeit		Bezahlte Anwesenheit gesamt	
	Eingang	Ausgang	Stunden	Schl.	Stunden	Schl.	Überstunden	Normalstunden
02	7,33	14,34	1,42	10				7,69
03	7,28	17,00						8,78
04	7,22	13,39						6,03
07	7,16	16,52						8,85
08	7,29	16,59						8,75
09	7,33	16,39	0,93	15				8,35
10	7,23	16,14						8,10
11	7,18	13,32						5,98
14	7,20	16,24						8,32
15	7,47	16,31						7,99
16	7,18	16,21						8,30
17	7,38	16,51						8,47
18	7,25	13,33						5,88
21	7,23	17,09						9,02
22			8,58	30				8,58
23	7,24	17,08						8,98
25	7,35	13,26						5,60
28	7,17	16,56						8,90
29	7,27	16,06						7,90
30	7,26	16,56						8,75
31	7,15	16,06						8,10
						0,00		167,32

Wichtig:
Diese Stundenabrechnung ist sofort nach Erhalt zu prüfen.

Unstimmigkeiten sind dem Personalbüro zu melden.

Gesamt-Monatsstunden	167,32
Soll Monatsstunden	168,58
± Differenz Abrechnungsmonat	1,26-
Stundenvortrag vom Vormonat	7,57
Stundenvortrag für Folgemonat	6,31

(Zweite, teilweise verdeckte Karte:)

Frankfurter Ring 17

...ea

3762   Kost.-Stelle 716

Bezahlte Anwesenheit gesamt	
Überstunden	Normalstunden
	6,50
	62,84
	6,70
	9,33
	8,89
	8,01
	5,68
	8,73
	8,40
	8,89
	8,62
	5,70
0,00	148,29
	148,52
	0,23-
	6,31
	6,08

Schlüssel

10 = Behördengang
15 = unaufschiebbarer Arztbesuch
20 = Umzug
30 = Tarifurlaub
80 = Gleitzeit

gleichen Monat einarbeiten°. Ein Betriebsangehöriger darf nämlich bis zu zehn Arbeitsstunden im Monat als Gleitzeitguthaben sammeln, was darüber ist wird geschnitten.

Die Gleitzeit wurde vor einigen Jahren eingeführt°, um den Stossverkehr° zu entlasten°1. Es zeigte sich aber bald, dass die gleitende Arbeitszeit auch andere, grössere Vorteile brachte: die Moral der Arbeitenden erhöhte° sich und damit auch ihre Produktivität. Früher meldete sich schnell mal jemand krank°, wenn er nicht schon wieder zu spät kommen wollte. Heute braucht sich keiner mehr für „das Zuspätkommen" entschuldigen. Man darf es ja!

Manche Betriebe erlauben ihren Angestellten heute auch schon, künftige freie Tage einarbeiten zu können. In Andreas Betrieb, zum Beispiel, arbeiten viele Angestellte im November und Dezember an bestimmten Tagen eine Stunde länger. Diese Stunden

---

einarbeiten *to make up for (through work);* einführen *to introduce;* der Stossverkehr *rush hour;* entlasten *to relieve;* s. erhöhen *to increase;* s. krank melden *to call in sick*

---

[1] Flexible working hours have not solved the rush hour problems. It seems that on certain days—a beautiful day after a long rainy period or before a particular holiday—everybody has the same idea of quitting early and getting on the road.

werden „gutgeschrieben°." Auf diese Weise arbeiten sie manchmal bis zu 16 Stunden ein (das sind zwei Arbeitstage) und verlängern damit ihre Weihnachtsferien.

Am meisten freut sich Andrea über die vielen Feiertage und Ferientage, die sie bekommt. Sie hat 13 Feiertage im Jahr, und sie bekommt im ersten Jahr schon 30 Urlaubstage!

In der Bundesrepublik erhalten seit 1982 alle Arbeitenden ein Minimum von 30 Urlaubstagen. Dieses gesetzliche° Minimum wird aber von vielen Firmen noch freiwillig° überschritten°, und viele Mitarbeitende erhalten noch zusätzliche° Urlaubstage. Die Anzahl dieser zusätzlichen Urlaubstage richtet° sich nach der Länge der Betriebszugehörigkeit° und ist auch von Industrie zu Industrie verschieden.

Vor 1982 richtete sich die Zahl der Urlaubstage nach dem Alter der Arbeitenden. Die folgende Grafik zeigt, dass im Jahre 1980 von den über 35 Jahre alten Arbeitenden die meisten sowieso schon fast oder über 30 Urlaubstage erhielten.

Die über 35 Jahre alten Arbeitnehmer erhielten 1980 in der Bundesrepublik folgende Anzahl an Urlaubstagen:

Feiertage in der Bundesrepublik Deutschland	Neujahr	Dreikönigstag	Karfreitag	Ostern	1. Mai	Christi Himmelfahrt	Pfingsten	Fronleichnam	17. Juni	Maria Himmelfahrt	Allerheiligen	Buß- und Bettag	Weihnachten
Baden-Württemberg	x	x	x	x	x	x	x	x	x		x	x	x
Bayern	x	x	x	x	x	x	x	1	x	1	x	x	x
Berlin	x		x	x	x	x	x		x			x	x
Bremen	x		x	x	x	x	x		x			x	x
Hamburg	x		x	x	x	x	x		x			x	x
Hessen	x		x	x	x	x	x	x	x			x	x
Niedersachsen	x		x	x	x	x	x		x			x	x
Nordrhein-Westfalen	x		x	x	x	x	x	x	x		x	x	x
Rheinland-Pfalz	x		x	x	x	x	x	x	x		x	x	x
Saarland	x		x	x	x	x	x	x	x	x	x	x	x
Schleswig-Holstein	x		x	x	x	x	x		x			x	x

Besondere Feiertagsregelungen
1 Feiertag in Orten mit überwiegend katholischer Bevölkerung
Augsburg feiert sein Friedensfest am 8. August

Diese Tabelle zeigt, welche Feiertage in den einzelnen Ländern beachtet werden. Manche Länder haben nur neun Feiertage, andere zwölf oder sogar dreizehn.

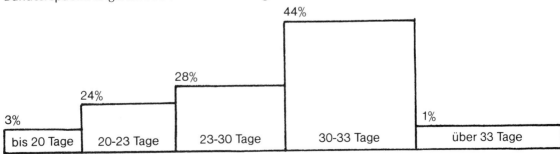

gutschreiben *to credit;* gesetzlich *legal;* freiwillig *voluntarily;* überschreiten *to exceed;* zusätzlich *additional;* s. richten nach *to depend upon;* die Betriebszugehörigkeit *service, years of employment*

Beschäftigte in der Industrie	
Industrieunternehmen	Beschäftigte in 1000 1982
Siemens	338
Volkswagenwerk	247
Daimler	188
Hoechst	182,2
Bayer	179,5
Thyssen	144,7
AEG-Telefunken	92,7
Veba	80,5
Adam Opel	59,5
BMW	47,5

Eine zunehmende Zahl von Firmen macht im Juli oder August Betriebsferien°. Der ganze Betrieb wird dann für die Dauer der Ferien geschlossen, und alle Arbeitnehmer müssen zu dieser Zeit ihren Urlaub nehmen. Wenn solch grosse Betriebe wie die Volkswagenwerke (247 000 Arbeitnehmer) oder Daimler Benz (188 000 Arbeitnehmer)[2] ihre Tore schliessen, dann werden die Autobahnen voll und manche Städte leer. Zu dieser Zeit machen dann auch viele Kleinbetriebe und Geschäfte zu, auch der Bäcker und der Fleischer von nebenan, weil sich das Geschäft während der grossen Betriebsferien einfach nicht lohnt.

Urlaubsgeld und Weihnachtsgeld

In den meisten Betrieben erhalten die Angestellten Urlaubsgeld. Das wird vor dem Urlaub ausgezahlt, und die Höhe der Summe richtet sich nach der Länge der Betriebszugehörigkeit des einzelnen Angestellten. Sie kann in vielen Fällen ein ganzes Monatsgehalt ausmachen°.

Ebenso gewähren° viele Firmen ein Weihnachtsgeld, das aber oft von der Produktivität der Firma abhängt°. Die einzelnen Beträge° richten sich wiederum nach der Länge der Betriebszugehörigkeit. Da es aber in den letzten Jahren den meisten deutschen Firmen gutging°, haben viele Angestellte praktisch 14 Monatsgehälter bezogen°[3].

Andrea hat von ihrem Personalchef erfahren, dass ihr Weihnachtsgeld im ersten Jahr 30% ihres Monatsgehalts ist und dass sie im nächsten Jahr 45% ihres Gehalts als Urlaubsgeld erhalten wird.

---

die Betriebsferien (pl) *company-wide vacation;* ausmachen *to amount to;* gewähren *to grant;* abhängen von *to depend upon;* der Betrag *amount;* gutgehen *to be well off;* beziehen *to get*

---

[2] **Volkswagen** is the 4th largest employer (247,000 employees) in the Federal Republic. The **Bundespost** (542,000 employees) is the largest employer, then the **Bundesbahn** (341,000 employees), and **Siemens** (338,000 employees). **Daimler-Benz** is the fifth largest employer (188,000 employees).

[3] The beginning eighties have been difficult years for German companies, and their high social costs such as paying for long vacations, extra vacation pay, and Christmas bonuses has cut into their profitability. Many companies reconsider such payments in order to stay in business.

WORTSCHATZ UND REDEWENDUNGEN

die **Anzahl**   number
der **Arbeitende, -n**   working person
die **Arbeitsstunde, -**   working hour
der **Betrag, ⸚e**   amount
der **Betriebsangehörige, -n**   employee of a company
die **Betriebsferien** (pl)   company-wide vacation
die **Betriebszugehörigkeit**   service, years of employment
der **Ferientag, -e**   vacation day
der **Feiertag, -e**   holiday
das **Gehalt, ⸚er**   salary
die **Gleitzeit**   flexible working hours, flex-time
das **Gleitzeitguthaben**   hours accumulated
die **Kernzeit**   basic time
der **Kleinbetrieb, -e**   small business
das **Minimum**   minimum
der **Mitarbeitende, -n**   co-worker
die **Moral**   morale
die **Produktivität**   productivity
der **Stossverkehr**   rush hour

abhängen von (i, a)   to depend upon

ausmachen   to amount to
beziehen (o, o)   to get
einarbeiten   to make up for (through work)
einführen   to introduce
entlasten   to relieve
s. erhöhen   to increase
gewähren   to grant
gleiten (i, i)   to use flexible working hours
gutgehen (i, a)   to do well
gutschreiben (ie, ie)   to credit
s. richten nach   to depend upon
überschreiten (i, i)   to exceed
verlängern   to extend
s. verschlafen (ie, a)   to oversleep

minus machen   to lose hours
plus machen   to gain hours
s. krank melden   to call in sick
zu spät kommen   to be late

freiwillig   voluntary(ily)
gesetzlich   legal
zusätzlich   additional

gleitende Arbeitszeit   flexible working hours

- **Warum sind Sie zu spät gekommen?**
  Why did you get here late?
- **Ich hab' mich verschlafen.**
  I overslept.
- **Haben Sie keine Gleitzeit in Ihrem Betrieb?**
  Don't you have flexible working hours in your company?
- **Doch. Ich darf nachmittags ab 16.00 Uhr gleiten.**
  Yes, we do. On flex time I can leave from 4 in the afternoon on.
- **Diesen Monat hab' ich schon ein Gleitzeitguthaben von 6 Stunden.**
  This month I've already accumulated 6 flex hours.
- **Wonach richtet sich die Zahl der Ferientage in Ihrem Betrieb?**
  In your company what does the number of vacation days depend on?
- **Früher nach dem Alter. Jetzt bekommt jeder das gesetzliche Minimum von 30 Tagen.**
  It used to go according to age. Now everybody gets the legal minimum of 30 days.
- **Bekommen Sie auch Urlaubsgeld? Wieviel?**
  Do you get extra vacation pay too? How much?
- **Das richtet sich nach der Produktivität der Firma.**
  That depends upon the productivity of the company.
- **Und die Höhe des Betrages richtet sich nach der Länge der Betriebszugehörigkeit.**
  And the amount depends upon the length of service with the company.

Was der Andrea an ihrem Job gut gefällt   119

Fragen zum Inhalt

1. Warum macht sich Andrea keine Sorgen, dass sie zu spät ins Büro kommt?
2. Was bedeutet Gleitzeit in Andreas Firma?
3. Wie kann sie ein plus machen — ein Gleitzeitguthaben?
4. Wieviel Arbeitsstunden darf man im Monat als Gleitzeitguthaben sammeln?
5. Aus welchem Grund wurde die Gleitzeit eingeführt?
6. Welche Vorteile brachte die Gleitzeit mit sich?
7. Was ist früher oft passiert, wenn jemand nicht schon wieder zu spät kommen wollte?
8. Was erlauben viele Betriebe ihren Angestellten auch?
9. Was können die Angestellten mit den gutgeschriebenen Stunden machen?
10. Wieviel Feiertage und Ferientage bekommt Andrea?
11. Wieviel Urlaubstage erhalten alle Arbeitenden in der Bundesrepublik?
12. Gewähren die meisten Firmen nur das Minimum an Urlaubstagen?
13. Wonach richtet sich die Anzahl der zusätzlichen Urlaubstage?
14. Wonach richtete sich die Zahl der Urlaubstage vor 1982?
15. Was zeigt die Grafik auf Seite 117?
16. Was macht eine zunehmende Zahl von Firmen im Sommer?
17. Was bedeuten „Betriebsferien"?
18. Was passiert während der Betriebsferien?
19. Was erhalten viele Angestellte vom Betrieb, bevor sie in Urlaub gehen?
20. Was gewähren viele Betriebe zu Weihnachten?
21. Wovon hängt die Zahlung des Weihnachtsgeldes ab?
22. Wonach richtet sich die Höhe des Weihnachtsgeldes?
23. Was hat Andrea von ihrem Personalchef erfahren?

Fragen zum Überlegen und Diskutieren

1. Diskutieren Sie die Vorteile und die möglichen Nachteile der Gleitzeit!
2. Diskutieren Sie die Vorteile und die Nachteile des gesetzlichen Minimums von 30 Urlaubstagen!
3. Sprechen Sie über die Vorteile und über die Nachteile von Betriebsferien grosser Firmen!
4. Was halten Sie davon, dass viele Betriebe auch Urlaubsgeld und Weihnachtsgeld zahlen? Diskutieren Sie darüber!
5. Diskutieren Sie, welche wirtschaftlichen Nachteile Sie sehen, wenn Firmen ihren Angehörigen lange Ferien gewähren und ihnen Urlaubsgeld und Weihnachtsgeld zahlen!

Aufgaben

1. Versuchen Sie herauszufinden, ob Firmen in Ihrer Wohngegend Gleitzeit haben, und berichten Sie darüber in Ihrer Klasse, wie die Gleitzeit in diesen Firmen funktioniert!
2. Finden Sie heraus, wie viele Urlaubstage in Ihrer Gegend den Angestellten guter Firmen gewährt werden. Zeichnen Sie eine Grafik wie auf Seite 117, und sprechen Sie darüber mit Ihren Klassenkameraden!

Andreas Arbeitspausen: eine Lebenserfahrung° | **25**

In der Brotzeitpause und mittags in der Kantine wird natürlich meistens geratscht°. Da ziehen die Mitarbeiter über den und jenen her°, da wird über die Politiker gelästert°, der Chef wird durch den Kakao gezogen°, da wird über den Föhn¹ und das schlechte Wetter geklagt und da ärgert° man sich über den verpatzten° Tip im Gemeinschaftslotto².

---

die Lebenserfahrung *life experience;* ratschen *to gossip;* herziehen über *to pick to pieces;* lästern über *to mock, run down;* durch den Kakao ziehen *to pull someone's leg, poke fun at;* s. ärgern über *to be mad about;* verpatzt *bungled*

---

¹ **Der Föhn** is the name of a warm, dry wind that blows down the north side of the Alps when certain conditions prevail. Some people are physically and emotionally affected by this wind. Common complaints are headaches, listlessness, and depression.
² Fellow workers often play the weekly **Lotto** together (**Gemeinschaftslotto**) and also share in possible winnings.

Anfangs hatte Andrea von all dem überhaupt nichts verstanden. Da wird manchmal über Themen gesprochen, von denen sie noch nie etwas gehört hat, über Themen, die ausserhalb° ihrer bisherigen Lebenserfahrung° liegen. Es ist ihr auch zum ersten Mal klargeworden, wie gross doch der Unterschied° ist zwischen dem Deutsch, das sie gelernt und an der Uni gehört hat und dem, das von ihren Kollegen und Kolleginnen am Arbeitsplatz gebraucht wird. Andrea möchte aber gern neben dem Geschäftsdeutsch, das sie lernen will, auch so viel wie möglich über das Leben und die Lebensauffassung° ihrer Mitarbeiter erfahren.

Da beschwerte° sich zum Beispiel einmal eine Kollegin darüber, dass sie jetzt gar nicht mehr in ein bestimmtes Lokal zum Tanzen gehen könne. So viele Ausländer kämen jetzt dorthin, und sie würden immer gleich frech. Man könne sich mit ihnen auch nicht unterhalten. Andreas Erfahrung° an der Uni sagte ihr bis jetzt das Gegenteil: sie fand die ausländischen Studenten immer nett und höflich, und es war eine Freude°, sich mit ihnen zu unterhalten.

Offensichtlich° hat Andrea von der sogenannten Gastarbeiterfrage keine Ahnung.[3] Die ca. 3,5 Millionen Menschen, die aus

---

ausserhalb (gen) *outside of;* bisherige Lebenserfahrung *experiences up to now;* der Unterschied *difference;* die Lebensauffassung *outlook on life;* s. beschweren über *to complain about;* die Erfahrung *experience;* die Freude *pleasure;* offensichtlich *obviously*

---

[3] During the period of economic expansion in the sixties and early seventies, many companies recruited foreign workers since there was a shortage of domestic labor. Many of these foreign workers had little or no skills and filled jobs that required lower skills and little language competence. Due to different economic and cultural backgrounds, many were never given the chance to assimilate into German society. They ended up living together in run-down sections of larger cities, often exploited by their own countrymen and shunned by the Germans. There have been many problems over the years, problems that have become worse as the German economy has slowed down and many people have become unemployed.

anderen Ländern (Türkei, Jugoslawien, Italien, Spanien) in die Bundesrepublik gekommen sind, um da zu arbeiten und zu leben, kommen aus ganz anderen Kulturkreisen°, haben andere Sitten und Gebräuche° und oft auch eine andere Religion. Zudem haben die meisten von ihnen keine oder nur geringe Deutschkenntnisse. Sie verrichten auch oft nur die niedrigsten Arbeiten, die die Einheimischen° gar nicht mehr machen wollen. Die meisten von ihnen wohnen in ärmlichen Verhältnissen°. Sie verdienen oft weniger als die deutschen Kollegen, und sie schicken einen grossen Teil ihres Verdienstes° an ihre Familien, die noch im Ausland sind. Ein grosser Teil der Einheimischen sieht auf die ausländischen Arbeiter herab°, und von einem Verhältnis° gegenüber° den Fremden kann überhaupt keine Rede sein°.

Und einmal in der Frühstückspause verstand Andrea die lebhafte Debatte nicht, die ein Kollege mit einer Kollegin über einen dritten Kollegen aus einer anderen Abteilung führte. „Mensch, der kann sich schon wieder ein neues Auto leisten — kein Wunder, mit seinen vier Kindern." Der Satz war ihr unverständlich; sie verstand die Anspielungen° nicht, die er enthielt°. Die Frau Merkl machte ihr später alles klar. Ein Arbeitnehmer mit Kindern bekommt nämlich Kindergeld°: fürs erste Kind 50 Mark im Monat, fürs zweite 100 Mark, fürs dritte 220 Mark und für jedes vierte und weitere Kind je 240 Mark — und so lange, bis die Kinder 18 Jahre alt sind. Der Angestellte mit vier Kindern verdient also im Monat 610 Mark mehr als der Angestellte ohne Kinder.

Gastarbeiter in der Bundesrepublik Deutschland

Hauptnationalitäten
Stand: 30. September 1982

	Insgesamt	Prozent
Türken	1.580.671	46
Jugoslawen	631.692	19
Italiener	601.621	18
Griechen	300.824	9
Spanier	173.526	5
Portugiesen	106.005	3
Insgesamt:	3.394.339	100

Zwei Beispiele:

Familie A hat 5 Kinder.
Sie bekommt 50 DM (1. Kind)
            + 100 DM (2. Kind)
            + 220 DM (3. Kind)
            + 240 DM (4. Kind)
            + 240 DM (5. Kind)
            = **850** DM

Familie B hat zwei Kinder.
Sie bekommt 50 DM (1. Kind)
            + 100 DM (2. Kind)
            = **150** DM

der Kulturkreis *cultural background;* Sitten und Gebräuche *manners and customs;* die Einheimischen (pl) *natives;* sie wohnen in ärmlichen Verhältnissen *they live under poor conditions;* der Verdienst *earnings;* herabsehen auf *to look down on;* das Verhältnis *relationship;* gegenüber *vis-a-vis;* es kann überhaupt keine Rede sein von *you can't even begin to talk about;* die Anspielung *insinuation;* enthalten *to contain;* das Kindergeld *money paid (by the government) to families having children*

Venedig: Dogenpalast

Venedig: Gondeln auf dem Canal Grande an der Rialtobrücke

Venedig: Seufzerbrücke

Heute beim Mittagessen hörte sie eine andere Geschichte. Eine Kollegin erzählte etwas über ihren früheren Beruf. Das war leicht zu verstehen. „Als ich aus der Schule kam—ich hatte die Mittlere Reife[4]—da träumte ich von einem aussergewöhnlichen° und erlebnisreichen° Beruf. Ich wollte einen Beruf haben, bei dem ich viel reisen konnte, bei dem ich meine Kenntnisse° von Fremdsprachen benutzen konnte. Kurz, ich wollte Reiseleiterin werden. Aber mit 16 ist man zu jung für diesen Beruf. Mein Vater riet° mir deshalb, zuerst eine Lehre in einem Reisebüro zu machen. Ich höre ihn noch heute sagen: ‚Anita, du brauchst einen Beruf, auf den du zurückgreifen° kannst, wenn du das Reisen einmal satt hast°.' So lernte ich also zweieinhalb Jahre in einem Reisebüro in Stuttgart. Nebenbei° belegte° ich Fortgeschrittenenkurse in Englisch und Französisch an der Volkshochschule[5], und später fing ich sogar mit Italienisch an. Ich wusste, dass Sprachkenntnisse für eine gute Reiseleiterin unentbehrlich° sind.

Als ich ausgelernt hatte, wurde ich in ein anderes Büro versetzt°, nach Nürnberg. Und hier ging es schnell aufwärts. Dank meiner Sprachkenntnisse—und ich hatte in der Zwischenzeit auch schon zwei lange Urlaubsreisen durch Italien gemacht—bekam ich von meinem Reisebüro die Aufgabe, Gesellschaftsreisen° für den Raum Oberitalien zu organisieren. Ich lernte damals Norditalien ganz gut kennen. Ich musste mit Hotelmanagern verhandeln°: Zimmer bestellen, Speisekarten ausarbeiten, Fahrpläne und Ter-

---

aussergewöhnlich *extraordinary, unusual;* erlebnisreich *exciting;* die Kenntnisse (pl) *knowledge;* raten *to advise;* zurückgreifen auf *to fall back on;* etwas satt haben *to be fed up with;* nebenbei *on the side;* (einen Kurs) belegen *to sign up for (a course);* unentbehrlich *indispensable;* versetzen *to transfer;* die Gesellschaftsreise *guided tour;* verhandeln mit *to deal with*

---

[4] See footnote page 10.
[5] See footnote page 77.

Venedig: Sankt–Markus–Kirche

Venedig: Markusplatz

Florenz: Dom mit Glockenturm

mine festlegen usw. Diese Vorbereitungen machten grossen Spass. Was mir am besten daran gefiel, war die Vielseitigkeit° und dass es von mir selbst abhing°, was ich aus meiner Arbeit machte. — Ich hab' euch einige Ansichtskarten aus meiner Italienzeit mitgebracht. —

Nach zwei Jahren wurde ich vom Reisebüro als Reiseleiterin eingesetzt°, und zwar° in Florenz. Meine Aufgabe bestand darin°, zwischen der Hotelleitung und den Reisegästen zu dolmetschen°, die Touristen am Bahnhof abzuholen und ihnen mit Rat und Tat zur Seite zu stehen°. Und die Touristen hatten natürlich immer viele Fragen: sie wollten informiert werden über Devisen° und Postgebühren, wollten Abfahrtzeiten für Busfahrten wissen, wollten italienische Spezialitäten und Weine empfohlen haben. Und es gab natürlich auch immer eine Anzahl von kleinen Pannen°—Koffer°, die nicht ankamen, Beschwerden° über das Essen, das manchen nicht zu bekommen° schien, Pässe, die jemand irgendwo vergessen oder verloren hatte. Ja, das hab' ich vier Jahre lang getan, jedes Jahr zwischen April und September. Dann hab' ich gewöhnlich sechs Wochen Urlaub gemacht, und in den restlichen Monaten musste ich wieder Reisen organisieren. Wie gesagt, die Arbeit war anstrengend° aber auch sehr abwechslungsreich°. Und heute? Was mach' ich heute? Es ist schon 15 Jahre her, seit ich meinen Job im Reisebüro aufgegeben habe. Ich heiratete° damals, mein Mann wurde versetzt, ich musste mich um die Kinder kümmern. Ich glaub', heute wäre das dauernde° Herumreisen für mich zu viel. Das war interessant, als ich jung war, und ich bereu' es nicht, dass ich es getan habe.''

die Vielseitigkeit *variety;* abhängen von *to depend upon;* einsetzen als *to employ as;* und zwar *namely;* bestehen in *to involve;* dolmetschen *to interpret;* mit Rat und Tat zur Seite stehen *to assist in every way necessary;* die Devisen (pl) *foreign currency;* die Panne *problem, trouble;* der Koffer *suitcase;* die Beschwerde *complaint;* (jemandem) bekommen *to agree with;* anstrengend *strenuous;* abwechslungsreich *diversified;* heiraten *to marry;* dauernd *constant*

die Anspielung, -en *insinuation*
die Anzahl *number*
die Arbeitspause, -n *break*
die Beschwerde, -n *complaint*
die Debatte, -n *debate*
die Devisen (pl) *foreign currency*
die Einheimischen (pl) *the natives*
die Erfahrung, -en *experience*
der Föhn *name of a warm Alpine wind*
die Freude *pleasure*
das Gemeinschaftslotto *see fn p. 121*
die Gesellschaftsreise, -n *guided tour*
die Kantine, -n *employee cafeteria*
das Kindergeld *money paid (by the government) to families having children*
der Koffer, - *suitcase*
der Kulturkreis, -e *cultural background*
die Lebenserfahrung *life experience*
die Panne, -n *problem, trouble*
das Reisebüro, -s *travel agency*
die Reiseleiterin, -nen *travel guide*
die Religion, -en *religion*
die Spezialität, -en *specialty*
der Termin, -e *date*
der Tip, -s *tip*
der Unterschied, -e *difference*
der Verdienst *earnings*
das Verhältnis, -se *relationship*
die Vielseitigkeit *variety*

abhängen von (i, a) *to depend upon*
s. ärgern über A *to be mad about*
s. beschweren über A *to complain about something*
bestehen in (a, a) *to involve*
dolmetschen *to interpret*
einsetzen als *to employ as*
enthalten (ie, a) *to contain*
heiraten *to marry*
herabsehen auf (a, e) *to look down on*
herziehen über A (o, o) *to pick to pieces*
klarmachen *to explain*
lästern über A *to mock, run down*
organisieren *to organize*

raten D (ie, a) *to advise*
verhandeln mit *to deal with*
versetzen *to transfer*
zurückgreifen auf A (i, i) *to fall back on*

durch den Kakao ziehen (o, o) *to poke fun at*
einen Kurs belegen *to sign up for a course*
es bekommt (mir) nicht *it does not agree with (me)*
es kann überhaupt keine Rede sein von *you can't even begin to talk about*
etwas satt haben *to be fed up with*
frech werden *to get fresh*
in ärmlichen Verhältnissen wohnen *to live under poor conditions*
mit Rat und Tat zur Seite stehen *to assist in every way necessary*

abwechslungsreich *diversified*
anstrengend *strenuous*
aussergewöhnlich *extraordinary, unusual*
bisherig- *existing*
dauernd- *constant*
erlebnisreich *exciting*
früher- *former*
lebhaft *lively*
niedrig *lowly*
restlich *remaining*
sogenannt *so-called*
unentbehrlich *indispensable*
verpatzt *bungled*

anfangs *in the beginning*
aufwärts *upward*
ausserhalb (gen) *outside of*
ca. = circa *about*
gegenüber D *vis-a-vis*
nebenbei *on the side*
offensichtlich *obviously*
Sitten und Gebräuche *manners and customs*
und zwar *namely*
wie gesagt *as (I) said before*

- **Habt ihr schon wieder über mich gelästert?**
  Did you talk about me again (in my absence)?
- **Sie haben dich durch den Kakao gezogen.**
  They were pulling your leg. (They were poking fun at you.)
- **Was für ein verpatztes Wochenende!**
  What a fouled up weekend!
- **Mensch, sind die über dich hergezogen!**
  Boy, did they ever pick you to pieces (while you were absent)!

Fragen zum Inhalt

1. Was wird in den Arbeitspausen meistens getan?
2. Warum hat Andrea anfangs sehr wenig verstanden?
3. Was ist ihr zum ersten Mal klargeworden?
4. Was hat sich Andrea deshalb fest vorgenommen?
5. Worüber beschwerte sich eine Kollegin einmal?
6. Was für Erfahrungen hatte Andrea an der Uni mit ausländischen Studenten?
7. Wovon hat Andrea offensichtlich keine Ahnung?
8. Woher kommen die Gastarbeiter?
9. Warum sind diese Menschen oft anders als die Einheimischen?
10. Was für Arbeiten verrichten die Gastarbeiter? Wo wohnen sie?
11. Wieviel verdienen sie, und was machen sie mit ihrem Verdienst?
12. Was tut ein grosser Teil der Einheimischen?
13. Was für eine Debatte verstand Andrea einmal nicht in der Frühstückspause?
14. Was erklärte ihr Frau Merkl später?
15. Wer ist Anita? Was erzählte sie ihren Kollegen?
16. Was für einen Beruf wollte Anita haben, als sie aus der Schule kam?
17. Was riet ihr Vater ihr?
18. Was machte sie daraufhin? Was belegte sie nebenbei?
19. Warum belegte sie so viele Sprachen?
20. Was passierte, als sie ausgelernt hatte?
21. Was für eine Aufgabe bekam Anita?
22. Was musste sie alles tun, und warum gefiel ihr diese Arbeit?
23. Was passierte nach zwei Jahren?
24. Was für eine Aufgabe hatte sie dort?
25. Was wollten die Touristen alles wissen?
26. Wie lange hat sie diese Arbeit getan?
27. Warum hat ihr diese Arbeit gefallen?
28. Warum hat sie aufgehört, und wie lange ist das schon her?

Frage zum Überlegen und Diskutieren

Warum haben manche Leute etwas gegen Menschen, die aus einem anderen Land kommen? Was glauben Sie?

Aufgabe

Suchen Sie sich einen Artikel über Gastarbeiter in einer deutschen Zeitung oder Zeitschrift aus, und geben Sie darüber einen mündlichen Bericht in Ihrer Klasse!

26 | Wie war's vor hundert Jahren?

Die folgende Betriebsverordnung gibt Ihnen einen guten Einblick in das Büroklima Hamburger Firmen und Amtsstuben vor über hundert Jahren. Wir haben seit dieser Zeit doch einen grossen Fortschritt gemacht. — Nun, was werden die Leute in hundert Jahren über uns sagen?

 **Zur Beachtung des Perſonals**

I.

Gottesfurcht, Sauberkeit und Pünktlichkeit sind die Voraussetzungen für ein ordentliches Geschäft.

II.

Das Personal braucht jetzt nur noch an Wochentagen zwischen 6 Uhr vormittags und 6 Uhr nachmittags anwesend zu sein. Der Sonntag dient dem Kirchgang. Jeden Morgen wird im Hauptbureau das Gebet gesprochen.

III.

Es wird von jedermann Ableistung von Überstunden erwartet, wenn das Geschäft sie begründet erscheinen läßt.

IV.

Der dienstälteste Angestellte ist für die Sauberkeit der Bureaus verantwortlich. Alle Jungen und Junioren melden sich bei ihm 40 Minuten vor dem Gebet und bleiben auch nach Arbeitsschluß zur Verfügung.

V.

Einfache Kleidung ist Vorschrift. Das Personal darf sich nicht in hellschimmernden Farben bewegen und nur ordentliche Strümpfe tragen. Überschuhe und Mäntel dürfen im Bureau nicht getragen werden, da dem Personal ein Ofen zur Verfügung steht. Ausgenommen sind bei schlechtem Wetter Halstücher und Hüte. Außerdem wird empfohlen, in Winterszeiten täglich 4 Pfund Kohle pro Personalmitglied mitzubringen.

VI.

Während der Bureaustunden darf nicht gesprochen werden. Ein Angestellter, der Zigarren raucht, Alkohol in irgendwelcher Form zu sich nimmt, Billardsäle und politische Lokale aufsucht, gibt Anlaß, seine Ehre, Gesinnung, Rechtschaffenheit und Redlichkeit anzuzweifeln.

VII.

Die Einnahme von Nahrung ist zwischen 11.30 Uhr und 12.00 Uhr erlaubt. Jedoch darf die Arbeit dabei nicht eingestellt werden.

VIII.

Der Kundschaft und Mitgliedern der Geschäftsleitung nebst Angehörigen ist mit Ehrerbietung und Bescheidenheit zu begegnen.

IX.

Jedes Personalmitglied hat die Pflicht, für die Erhaltung seiner Gesundheit Sorge zu tragen, im Krankheitsfalle wird die Lohnzahlung eingestellt. Es wird daher dringend empfohlen, daß jedermann von seinem Lohn eine hübsche Summe für einen solchen Fall wie auch für die alten Tage beiseitelegt, damit er bei Arbeitsunvermögen und bei abnehmender Schaffenskraft nicht der Allgemeinheit zur Last fällt.

X.

Zum Abschluß sei die Großzügigkeit dieser neuen Bureau-Ordnung betont. Zum Ausgleich wird eine wesentliche Steigerung der Arbeit erwartet.

Aus Betriebsverordnungen für Hamburger Comptoirs und Amtsstuben 1863 bis 1872.

Deutsch-Englisches Wörterverzeichnis

A

ab *from; ab sofort immediately; ab und zu once in a while, now and then*

aber *but*

abbuchen *to debit (an account)*

abdrucken *to print*

der **Abend, -e** *evening; ich wünsche dir einen schönen Abend have a nice evening*

die **Abfahrtszeit, -en** *time of departure*

abgeben *to sell; to present*

abgeschlossen *completed*

abgestellt: auf etwas abgestellt sein *to be suitable for*

s. **abgewöhnen** *to give up*

abhängen von *to depend upon*

abheben *to withdraw (from an account)*

abholen *to pick up*

das **Abitur** *final examination and diploma for Gymnasium students*

die **Abkürzung, -en** *abbreviation*

die **Ablage** *filing of letters*

der **Ablegekasten, ∸** *file box*

ablegen: eine Abschlussprüfung ablegen *to take a final exam; nach dem Alphabet ablegen to file alphabetically*

die **Ableistung, -en** *service; die Ableistung von Überstunden to put in overtime, work overtime*

ablesen *to read off*

abnehmend *declining*

abräumen *to clear away*

die **Abrechnung, -en** *settlement*

der **Abrechnungsmonat, -e** *date of payment (dividend, interest, etc.)*

abrufen *to call (off)*

die **Absage, -n** *refusal, rejection*

abschliessen: eine Lebensversicherung abschliessen *to take out life insurance; einen Vertrag abschliessen to sign an agreement, a contract*

der **Abschluss: zum Abschluss** *in conclusion*

der **Abstand: Abstand halten** *to keep one's distance*

abstimmen: einen Termin abstimmen *to fix a date, set up an appointment*

die **Abteilung, -en** *department, section*

der **Abteilungsleiter, -** *department head*

die **Abteilungssekretärin, -nen** *department secretary*

die **Abtretung, -en** *assignment*

abwechslungsreich *diversified*

abweichend *different, differing*

die **Abweichung, -en** *difference, discrepancy*

die **Abzahlung: auf Abzahlung** *in installments*

das **Abzahlungsgeschäft: bei Abzahlungsgeschäften** *when buying on installment*

das **Abzahlungsgesetz, -e** *law pertaining to installment purchases*

der **Abzahlungsvertrag, ∸e** *installment loan contract; loan agreement*

der **Abzug, ∸e** *deduction*

acht *eight*

achten auf *to look out for; to pay attention to*

die **Adrema (Adressmaschine)** *addressograph*

das **Ägypten** *Egypt*

ähnlich *similar; ähnlich wie similar to, like*

die **Ahnung, -en** *idea; keine Ahnung haben to have no idea*

akademisch *academic*

die **Akte, -n** *file, file folder*

das **Aktenzeichen, -** *file number*

aktuell *current*

das **Albanien** *Albania*

der **Alkohol** *alcohol*

all- *all*

alle *all, everything, everyone; alle sein to be out of*

der **Alleinstehende, -n** *single person*

allerdings *it is true*

das **Allerheiligen** *All Saints' Day*

alles *everything*

allgemein *general; die Allgemeine Ortskrankenkasse name of a large health insurance company; im allgemeinen in general*

die **Allgemeinheit** *general public, society*

allmählich *gradually, little by little*

der **Allroundarbeiter, -** *general helper*

das **Alphabet, -e** *alphabet*

alphabetisch *alphabetical*

als *as, as a; than*

älter *older*

die **Altersversorgung** *old-age benefits*

die **Alu-Folie, -n** *tin foil*

die **Amerikanerin, -nen** *American (f)*

amtlich *official*

die **Amtsstube, -n** *office*

an *at; am Abend in the evening*

anbieten *to offer*

anbringen *to display*

ander- *other, different*

andererseits *on the other side*

die **Änderung, -en** *change, alteration, modification*

anfallen *to accrue*

anfangen *to start, begin*

anfangs *in the beginning, at first*

das **Anfangsgehalt, ∸er** *starting salary*

der **Anfangssaldo, -salden** *initial balance*

die **Anforderung, -en** *requirement; den Anforderungen entsprechen to meet the requirements*

die **Anfrage, -n** *inquiry*

die **Angabe, -n** *statement; information, data; listing; Angaben machen über to give information about*

angeben *to name, give; to post, list; to state, mention*

das **Angebot, -e** *offer; supply; das Angebot an Zimmern available rooms; im Angebot on (special) sale*

Ang. u. = Angebot unter *offer under*

angeboten bekommen *to be offered*

angebracht: angebracht sein an *to be printed on*

die **Angehörigen** *(pl) family members*

angemessen *appropriate*

angestellt sein *to be employed*

der **Angestellte, -n** *employee; der Angestellte des öffentlichen Dienstes government employee*

angewiesen sein auf *to be dependent on; auf sich selbst angewiesen to be left to one's own resources*

s. **angewöhnen** *to get used to*

die **Angst, ⸚e** *fear, anxiety;* ein wenig Angst haben *to be a little scared*

anhängen *to hang on, fasten*

anklopfen *to knock (at the door)*

ankommen *to arrive*

der **Anlass, ⸚e** *occasion, cause;* Anlass geben zu *to give rise to*

anlegen: ein Sparkonto anlegen *to open a savings account;* Geld anlegen *to invest money*

die **Anlernkraft, ⸚e** *trainee*

die **Anmeldung, -en** *registration*

annehmen *to assume; to accept;* einen Anruf annehmen *to take a phone call*

die **Annonce, -n** *ad*

s. **anreden** *to address each other*

der **Anruf, -e** *phone call*

anrufen *to call, telephone*

der **Anrufer, -** *caller*

die **Anschaffung, -en** *acquisition, purchase*

anschauen *to look at*

der **Anschlag, ⸚e** *touch (on a typewriter keyboard*

anschlagen *to press, touch*

die **Anschrift, -en** *address*

ansehen *to look at*

s. **ansehen** *to look at, view*

die **Anspielung, -en** *insinuation*

der **Anspruch: Anspruch haben auf** *to be entitled to*

anstatt *instead of*

der **Anstellungsvertrag, ⸚e** *employment contract*

anstrengend *strenuous*

der **Anteil, -e** *share, portion*

anteilig *sharing, proportional*

die **Antenne, -n** *antenna*

die **Antiquitäten** (pl) *antiques, curios*

der **Antrag, ⸚e** *application*

die **Antragsannahme** *personnel department, department accepting job applications*

der **Antragsteller, -** *applicant*

antreten: eine Stelle antreten *to start a job*

der **Antrittstag** *first day of work*

die **Antwort, -en** *answer*

antworten *to answer*

anwesend sein *to be present*

die **Anwesenheit** *presence;* bezahlte Anwesenheit gesamt *total hours worked*

die **Anzahl** *number*

die **Anzahlung** *down payment*

die **Anzeige, -n** *ad, advertisement*

anzeigen *to indicate*

anziehen *to wear*

anzweifeln *to doubt*

die **Apfelsorte, -n** *variety of apple*

der **Apparat, -e** *telephone*

die **Arbeit, -en** *work;* die niedrigsten Arbeiten *the lowliest jobs*

arbeiten *to work*

der **Arbeitende, -n** *working person*

der **Arbeiter, -** *worker*

der **Arbeitgeber, -** *employer*

der **Arbeitnehmer, -** *employee*

das **Arbeitsamt, ⸚er** *employment office*

das **Arbeitsangebot, -e** *job offer*

der **Arbeitsantritt** *first day of work;* bei Ihrem Arbeitsantritt *when you start working*

die **Arbeitsberatung** *job counselling*

die **Arbeitsbeschaffungsmassnahme, -n** *job procurement guidelines*

die **Arbeitserfahrung** *work experience*

die **Arbeitserlaubnis, -** *work permit*

das **Arbeitserlaubnisverfahren** *processing of a work permit*

das **Arbeitsklima, -s** *working climate*

der **Arbeitslohn, ⸚e** *wage*

das **Arbeitslosengeld** *unemployment insurance money*

die **Arbeitslosenhilfe** *unemployment assistance*

die **Arbeitslosenversicherung** *unemployment insurance*

der **Arbeitsplatz, ⸚e** *place of work*

der **Arbeitsraum, ⸚e** *work room*

die **Arbeitspause, -n** *break*

der **Arbeitsschluss: freitags Arbeitsschluss um 14.15 Uhr** *on Fridays the office closes at 2:15 PM;* nach Arbeitsschluss *after hours, after work*

die **Arbeitsstelle, -n** *job*

der **Arbeitsstoff, -e** *material*

die **Arbeitsstunde, -n** *working hour*

der **Arbeitssuchende, -n** *job seeker*

der **Arbeitstag, -e** *workday; day of work*

das **Arbeitsunvermögen** *disability*

die **Arbeitsvermittlung** *job placement*

arbeitswissenschaftlich: arbeitswissenschaftliche Erkenntnisse (pl) *scientific studies examining the work place*

die **Arbeitszeit** *work hours, working hours;* Arbeitszeit nach Wunsch *choose your own hours*

s. **ärgern über** *to be mad about*

ärmlich *poor*

die **Art, -en** *type, kind, class, category;* auf zwei Arten *in two ways*

der **Artikel, -** *item*

die **Artikelbezeichnung, -en** *label-*

ing of merchandise; identity of the item

die **Artikelnummerierung** *numbering of items*

der **Arzt, ⸚e** *doctor*

attraktiv *attractive*

ätzend *caustic*

auch *also, too; in addition*

auf *on, at, in;* auf deutsch *in German;* auf diese Weise *in this manner;* auf ein Jahr *for a year;* auf . . . hin *referring to;* auf ihre Frage hin *in answer to her question;* auf zwei Arten *in two ways*

der **Aufbau, -ten** *structure*

aufbewahren *to keep, store*

die **Aufbewahrung** *storage*

die **Aufenthaltserlaubnis, -** *residence permit*

aufführen *to list*

die **Aufgabe, -n** *assignment, task*

das **Aufgabengebiet: selbständiges Aufgabengebiet** *freedom to determine one's own work assignment*

aufgeben *to give up*

aufgehen *to open*

aufgeregt *excited*

auflaufen *to accumulate, accrue*

aufliegen *to be on display*

auflisten *to list*

aufgrund *on the basis of*

aufhängen *to hang up*

aufleuchten *to light up*

aufnehmen *to accept;* einen Bankkredit aufnehmen *to take out a bank loan*

aufschreiben *to write down*

aufsuchen *to visit, frequent*

die **Auftragsabteilung, -en** *order department*

die **Auftragsnummer, -n** *order number*

das **Auftragssparen** *automatic saving*

aufwärts *upward;* aufwärts gehen *to advance, go up*

aufweisen *to point out*

aufzeigen *to show*

aus *from; out of;* aus diesem Grund *for this reason*

ausarbeiten *to plan*

ausbilden *to train*

die **Ausbildung** *training;* 2 bis 3jährige Ausbildung *2 to 3 years of training*

der **Ausbildungsweg, -e** *training*

ausdrucken *to print out*

ausdrücken *to express*

die **Ausfertigung: Ausfertigung für**

den Kunden *customer copy*

der **Ausflug, ⸚e** *excursion, trip;* Ausflüge machen *to go hiking, take trips*

ausführlich *detailed*

die **Ausführung, -en** *execution*

ausfüllen *to make out, fill in (a form)*

die **Ausgabe, -n** *edition; expense;* (pl) *expenditures*

der **Ausgang, ⸚e** *expenditure; checkout*

die **Ausgangstaste, -n** *designated key*

ausgeben *to spend*

ausgebildet *(fully) trained*

ausgehängt sein *to be posted*

ausgehen *to run out of*

ausgelegt: mit Teppichboden ausgelegt sein *to have wall-to-wall carpeting*

ausgenommen *with the exception of*

ausgestellt: ausgestellte Waren *displayed merchandise*

der **Ausgleich** *compensation*

aushändigen *to hand over, submit*

aushängen *to post*

s. **auskennen mit** *to be familiar with*

die **Auskunft, ⸚e** *information*

der **Auskunftsdienst** *information service*

das **Ausland** *abroad*

der **Ausländer, -** *foreigner* (m)

die **Ausländerin, -nen** *foreigner* (f)

ausländisch *foreign*

der **Auslandsaufenthalt** *stay abroad*

die **Auslandsreise, -n** *trip abroad*

ausmachen *to amount to*

ausmessen *to measure*

die **Ausnahme, -n** *exception*

der **Ausnahmefall, ⸚e** *exception*

ausreichen *to be sufficient*

ausreichend *sufficient*

aussagen *to give information about*

s. **ausschliessen** *to exclude o.s.*

ausschliesslich *exclusively*

ausschreiben: die ausgeschriebene Stelle *the advertised job;* einen Scheck ausschreiben *to write a check*

aussehen *to look, seem*

die **Aussenhandelsabteilung, -en** *foreign trade department*

der **Aussenseiter, -** *outsider*

die **Aussenstelle, -n** *branch office*

die **Aussenwelt** *outside world; environment*

äusser- *outer, exterior, external*

ausserbetrieblich *outside the office, after hours*

ausserdem *besides, moreover*

das **Äussere: nettes Äusseres** *neat appearance*

aussergewöhnlich *extraordinary, unusual*

ausserhalb *outside of*

ausserplanetarisch *extraplanetary*

aussetzen *to interrupt*

die **Aussprache, -n** *pronunciation*

ausstellen *to issue (a document);* einen Scheck ausstellen *to write a check;* Ware ausstellen *to display merchandise*

aussuchen *to choose, select*

ausüben *to perform;* ausgeübter Beruf *occupation*

auswaschen *to rinse out*

die **Ausweiskarte, -n** *identification card*

auswerten *to evaluate*

auszahlen *to pay out;* auszuzahlender Betrag *amount to be paid*

die **Auszahlung, -en** *payment*

die **Auszahlungsbetrag, ⸚e** *amount payable*

die **Auszahlungsformular, -e** *withdrawal slip*

auszeichnen *to price*

s. **auszeichnen** *to distinguish o.s.*

ausziehen *to move out*

der **Auszubildende, -n** *trainee*

die **Auszubildende, -n** *trainee* (f)

das **Auto, -s** *car*

der **Autofahrer, -** *driver (of a car)*

B

der **Bäcker, -** *baker*

das **Bad, ⸚er** *bathroom*

die **Badbenutzung** *use of bath, shared bathroom*

baden *to bathe;* baden gehen *to go swimming*

der **Bahnhof, ⸚e** *train station*

die **Bahnpost** *post office located in the train station*

bald *soon;* bis bald! *see you soon!*

die **Bank, -en** *bank*

der **Bankangestellte, -n** *bank clerk*

bankintern *internal (for bank purposes)*

die **Bankkaufleute** (pl) *bankers*

das **Bankkonto, -konten** *bank account*

der **Bankkredit, -e** *bank loan*

die **Bankleitzahl, -en** *bank code number*

die **Bankstelle, -n** *branch of a bank*

die **Barabhebung, -en** *cash withdrawal*

das **Bargeld** *cash*

bargeldlos *cashless*

der **Barzahlungspreis, -e** *price when paying cash*

der **BAT-Bundesarbeitstarif** *Federal salary schedule*

die **Batterie, -n** *battery*

bauen *to build*

das **Bauernbrot, -e** *type of bread*

die **Baumwolle** *cotton*

das **Bauunternehmen, -** *construction company*

beabsichtigen *to intend, plan*

beachten *to take notice, pay attention to; to observe*

die **Beachtung: zur Beachtung** *to the attention of*

beantragen *to apply for;* einen Kredit beantragen *to take out a bank loan*

beantworten *to answer*

der **Bearbeiter, -** *processor (of a form, application, etc.)*

die **Bearbeitungsgebühr, -en** *service charge*

die **Bearbeitungskosten** (pl) *service charges*

beauftragen mit *to entrust with*

der **Bedarf** *necessity;* bei Bedarf *in case of need*

bedauern *to regret*

bedeuten *to mean*

die **Bedeutung, -en** *importance, significance*

die **Bedienung, -en** *waiter/waitress*

bedürfen *to require*

die **Beendigung, -en** *completion, termination;* nach Beendigung des Wasserzulaufs *after the (washing) machine has filled with water*

s. **befassen mit** *to examine closely, study; to concern o.s. with; to occupy with, engage in*

s. **befinden** *to be situated, located*

befristet sein *to be limited (in time)*

begrenzen *to limit*

begrenzt sein *to be limited (in time)*

der **Begriff, -e** *concept, designation*

begründen *to explain, give a reason;* begründet erscheinen lassen *to deem necessary*

begrüssen *to welcome, greet*

behalten *to remember*

behandeln *to treat*

die **Behandlung, -en** *care*

beheben *to eliminate, remedy, remove*

die **Behörde, -n** *government office, authority*

der **Behördengang** *official procedure*

behördlich *official*

bei *at, with by; in case of;* bei schlechtem Wetter *in bad weather*

beide *both;* von den beiden *of the two*

beifügen *to enclose, add*

beilegen *to enclose*

beiliegen *to be included, enclosed*

beiliegend *enclosed*

die **Beinfreiheit** *leg room*

beiseitelegen: für die alten Tage beiseitelegen *to put aside for one's old age*

das **Beispiel, -e** *example;* zum Beispiel *for example*

der **Bekanntenkreis, -e** *circle of friends and acquaintances*

bekanntmachen *to introduce to*

die **Bekleidung** *clothing*

bekommen *to get, receive;* es bekommt ihm nicht *it does not agree with him*

belasten: das Konto belasten *to debit the account*

die **Belastungen** (pl) *charges*

s. **belaufen auf** *to amount to*

der **Beleg, -e** *voucher*

belegen: einen Kurs belegen *to sign up for a course*

das **Belgien** *Belgium*

beliebig: jeden beliebigen Betrag *any given amount*

beliebt *popular, well-liked*

benachrichtigen *to inform;* vorab benachrichtigt werden *to receive advance information, notice*

s. **benehmen** *to behave*

das **Benzin, -e** *gasoline*

benötigen *to need*

benutzen *to use*

der **Benzinpreis, -e** *price of gas*

bequem *comfortable; convenient*

beraten *to advise*

s. **beraten lassen** *to seek advice*

der **Berater, -** *advisor*

berechnen *to compute; to charge*

die **Berechnung, -en** *computation*

der **Bereich, -e** *field, area, sector*

bereit *ready; willing*

die **Bereithaltung** *availability*

bereuen *to regret, be sorry*

berichten über *to report on*

der **Beruf, -e** *profession, trade, oc-cupation;* von Beruf *by profession*

beruflich *professional*

der **Berufsanfänger, -** *beginner*

die **Berufsausbildungsbeihilfe** *job training assistance*

die **Berufserfahrung, -en** *work experience*

die **Berufskleidung** *clothes worn for work*

das **Berufsleben** *professional life, working world, business world;* praktische Erfahrung im Berufsleben schaffen *to get work experience*

der **Berufssoldat, -en** *career soldier*

berufstätig *employed, working*

der **Berufsvermittler, -** *employment agent*

beruhen auf *to be based on*

die **Berührung: in Berührung kommen mit** *to come in contact with*

beschaffen *to obtain*

der **Bescheid: Bescheid wissen** *to know, be informed*

die **Bescheidenheit** *modesty*

beschliessen *to decide*

beschreiben *to describe*

die **Beschwerde, -n** *complaint*

s. **beschweren über** *to complain about*

besetzen *to fill (a job)*

besitzen *to possess, own, have*

besonder- *special*

besonders *especially, particularly*

s. **besorgen** *to get, obtain*

die **Besprechung, -en** *discussion, consultation*

besser *better*

besten: am besten *best*

der **Bestandteil, -e** *component, part*

bestätigen *to certify*

bestehen *to exist;* bestehen aus *to consist of, comprise;* bestehen durch *to exist in the form of;* bestehen in *to involve;* eine Prüfung bestehen *to pass a test;* es besteht die Möglichkeit *it is possible to*

bestellen *to order;* Zimmer bestellen *to book rooms, accommodations*

die **Bestellung, -en** *order*

bestimmen *to determine*

bestimmt- *fixed; specific, certain*

der **Besuch, -e** *attendance*

besuchen *to visit, frequent; to attend (a school)*

s. **beteiligen** *to participate*

betonen *to stress, emphasize*

der **Betrag, ¨-e** *amount*

betragen *to amount to*

betreten *to enter*

der **Betrieb, -e** *firm, company*

der **Betriebsangehörige, -n** *employee of a company*

die **Betriebsferien** (pl) *company-wide vacation*

die **Betriebsverordnung, -en** *regulations and by-laws of a company*

die **Betriebsverwaltung, -en** *administration, management*

die **Betriebswirtschaft** *business management*

betriebswirtschaftlich *business;* die betriebswirtschaftliche Fakultät *School of Business*

die **Betriebszugehörigkeit** *number of years of employment in a particular company; seniority*

bevor *before, prior to*

bevorzugen *to prefer, give priority to*

Bew. = Bewerbung: die Bewerbung, -en *application*

bewegen *to move*

beweglich *movable*

bewerben *to apply;* s. bewerben um *to apply for*

der **Bewerber, -** *applicant*

die **Bewerbung, -en** *application*

das **Bewerbungsschreiben, -** *letter of application*

bez. = bezahlt *paid*

bezahlen *to pay*

die **Bezahlung, -en** *payment, pay*

beziehen *to get*

bezug: in bezug auf *with reference to*

der **Bezug: Bezug nehmen auf** *to refer to*

bieten *to offer*

die **Bilanz, -en** *balance sheet*

das **Bild, -er** *picture, photo*

bilden *to form*

der **Bildschirm, -e** *screen*

die **Bildung, -en** *education; training;* die berufliche Bildung *professional training, training in a trade or profession*

der **Billardsaal, -säle** *pool room*

billig *cheap*

binnen *within*

bis *until; to, up to;* bis zu *up to;* bis zuletzt *until the very last moment*

bisherig- *existing; previous*

bisschen: ein bisschen *a little*

bitte *please*

bitten (um) *to ask (for)*

blau *blue*

die **Bürogehilfin, -nen** *office helper (f)*

die **Bürohilfe, -n** *office clerk*

die **Bürokaufleute** *(pl) professionally trained office workers*

der **Bürokaufmann, -leute** *professionally trained office worker*

das **Büroklima** *office climate*

die **Bürokraft, ⁼e** *office help*

die **Büromaschine, -n** *office machine*

der **Büromitarbeiter, -** *office worker*

die **Bürosprache** *office vocabulary, jargon*

der **Bus, -se** *bus*

die **Busfahrt, -en** *bus trip*

der **Buss- und Bettag** *day of repentance and prayer*

bzw. = beziehungsweise *that is to say*

C

ca. = circa *about, approximately*

die **Chance, -n** *chance, opportunity*

der **Chef, -s** *boss*

chloren *to bleach*

die **Christi Himmelfahrt** *Ascension Day*

das **Complet, -s** *ensemble, set*

D

da *since, because; there, here;* da gibt es *there is;* da sein *to be here*

dabei *then, thereby; at the same time, while doing it*

daher *for this reason*

die **Dame, -n** *lady*

das **Dänemark** *Denmark*

dank *thanks to*

dann *then, thereupon; afterwards*

darüber: darüber hinaus *beyond that*

dass *that*

die **Daten** *(pl) data*

das **Datenerfassungsbüro, -s** *electronic data processing office, data collecting office*

die **Datenkasse, -n** *computerized cash register storing merchandise data*

der **Datenspeicher, -** *memory bank*

die **Datentypistin, -nen** *typist (for data)*

die **Datenverarbeitung** *data processing*

datieren *to date*

---

die **Dauer** *duration;* für die Dauer *for the duration of*

der **Dauerauftrag, ⁼e** *standing order*

dauern *to last, take (an amount of time)*

dauernd *constantly*

die **Dauerstellung, -en** *permanent position*

davon *of that, thereof*

die **Debatte, -n** *debate*

decken: den Tisch decken *to set the table*

das **Defizit, -e** *deficit*

dekorieren *to decorate*

dementsprechend *correspondingly*

denn *because;* es sei denn *unless*

deren *whose*

derselben *of the same*

derzeitig *current*

deshalb *therefore*

das **Desinteresse** *disinterest*

dessen *whose*

deutlich *clear, distinct*

das **Deutsch** *German, the German language;* ihr Deutsch *her knowledge of, proficiency in German*

die **Deutschkenntnisse** *(pl) knowledge of, proficiency in the German language*

die **Devisen** *(pl) foreign currency*

der **Devisenkurs, -e** *foreign exchange rate*

d.h. = das heisst *i.e. (that is)*

die **Diät, -en** *diet*

dienen *to serve*

der **Dienst, -e** *service;* der psychologische Dienst *psychological services*

dienstältest- *most senior*

der **Dienstag** *Tuesday*

das **Dienstgebäude, -** *office building*

die **Dienstleistung, -en** *service*

die **Dienstleistungsuntersuchung** *evaluation of performance*

dies- *this; this one; (pl) these*

die **Differenz, -en** *difference, balance*

das **Diktiergerät, -e** *dictaphone*

das **Ding, -e** *thing; object; matter* die Dinge des täglichen Lebens *matters of daily life*

das **Diplom, -e** *diploma*

der **Direktor, -en** *director*

diskutieren *to discuss;* diskutieren über *to discuss, talk about*

der **Dispositionskredit, -e** *nonrestricted credit; general loan*

Do. = Donnerstag *Thursday*

doch *however, although*

---

bleiben *to stay, remain*

blind: blind schreiben *to touch type*

der **Blindschreiber, -** *touch typist*

borgen *to borrow*

die **Branche, -n** *field, area, branch*

branchenfremd *unfamiliar (with the field of work)*

brandfördernd *fire promoting*

brauchen *to need, have to; to be required*

der **Brief, -e** *letter*

der **Brieföffner, -e** *letter opener*

die **Briefpost** *mail (letter mail)*

bringen *to bring, bear, yield;* auf den Markt bringen *to market, sell*

die **Broschüre, -n** *brochure, prospectus*

die **Brotzeit: eine kräftige Brotzeit** *a hearty mid-morning snack*

die **Brotzeitpause, -n** *coffee break, morning break*

der **Bruder, ⁼** *brother*

der **Brunnen,-** *fountain*

brutto *gross*

das **Brutto: steuerpflichtiges Brutto** *gross taxable income*

das **Bruttogehalt, ⁼er** *gross salary*

buchen *to enter into an account;* zu ihren Gunsten buchen *to enter to her credit;* zu ihren Lasten buchen *to enter to her debit*

die **Buchhaltung** *accounting department*

der **Buchstabe, -n** *letter (of the alphabet)*

die **Buchstabenfolge** *sequence of letters*

buchstabieren *to spell*

die **Buchstabiertafel, -n** *spelling code*

die **Buchung, -en** *entry*

der **Buchungsbeleg, -e** *voucher (for bookkeeping purposes)*

die **Buchungsnummer, -n** *entry number*

der **Buchungstag, -e** *date of entry*

das **Bügeleisen, -** *iron*

das **Bulgarien** *Bulgaria*

die **Bundesrepublik** *Federal Republic (of Germany)*

die **Bundesrepublik Deutschland** *Federal Republic of Germany*

das **Bundessteuereinkommen, -** *federal tax income*

die **Bureaustunde = Bürostunde, -n** *office hours*

der **Bürger, -** *citizen*

das **Büro, -s** *office*

die **Büroarbeit, -en** *office work*

der **Büroarbeitsstuhl, ⁼e** *office desk chair*

dolmetschen *to interpret, translate*
dort *there*
dran: dran kommen *to be up for, have a turn at*
draussen *outside*
drehbar *revolving*
der **Dreher, -** *lathe operator*
drei *three*
der **Dreikönigstag** *Epiphany, Twelfth-night*
dringend *urgently*
dritt- *third*
dunkel *dark*
durch *through, by*
durcheinanderkommen: ganz schön durcheinanderkommen *to get pretty mixed up*
der **Durchschnitt, -e** *average, mean;* im Durchschnitt *on an average*
der **Durchschnittsbürger, -** *average citizen*
durchstudieren: genau durchstudieren *to study closely*
die **Durchwahl** *direct dialing*
durchwegs *always, without exception*
dürfen *to be allowed, permitted*
s. **duzen** *to say ''du'' to each other*

E

die **Ecke, -n** *corner;* an der Ecke *at the corner*
die **EDV = Elektronische Daten Verarbeitung** *EDP = Electronic Data Processing;* EDV-erfahrene Studentinnen und Studenten *female and male students with EDP experience*
effektiv *real, actual*
ehemalig *former, past*
der **Ehemann, ̈er** *husband*
die **Ehre** *honor*
die **Ehrerbietung** *respect, deference*
ehrgeizig *ambitious*
das **Ei, -er** *egg*
eigen *own;* auf eigenen Füssen (stehen) *on your own two feet, to be on your own, independent*
eigens *expressly, especially*
die **Eigenschaft, -en** *characteristic*
eigentlich *actually*
der **Eigentümer, -** *owner, title holder*
s. **eignen** *to be suitable;* s. eignen als *to be suitable as*
der **Eilbrief, -e** *(letter sent by) special delivery*
eilig *urgent, fast*
einarbeiten *to train; to make up for (through work); to work in*
die **Einbauküche, -n** *built-in kitchen*

einbehalten *to retain*
der **Einblick, -e** *insight*
die **Einbruchsicherheit** *safeguards against break-ins, security system*
der **Eindruck, ̈e** *impression;* einen guten Eindruck machen *to make a good impression*
einfach *simple, simply; easy*
einfahren in *to drive into, to pull into a place*
der **Einfluss, ̈e** *influence*
einführen *to introduce*
einfüllen *to put in, pour in*
der **Eingang, ̈e** *receipt; check-in*
eingehen *to receive; to come in (funds into an account, etc.)*
eingenäht *sewn in*
eingewebt *woven in*
s. **eingewöhnen** *to get used to*
einhalten *to adhere to; to observe*
einheimisch *native, local*
der **Einheimische, -n** *native, local population*
einheitlich *uniform, standardized*
einige *some*
der **Einkauf, ̈e** *purchase*
einkaufen *to shop, go shopping*
einkaufen gehen *to go shopping*
das **Einkaufen** *shopping*
der **Einkaufsbummel, -** *stroll through stores*
das **Einkommen, -** *income*
die **Einkommensteuererklärung, -en** *income tax statement*
die **Einkommensteuererstattung** *income tax refund*
einladen *to invite*
einlegen *to put in*
einlösen: einen Scheck einlösen *to cash a check*
die **Einlösung, -en** *cashing (of a check)*
einmal *once; one day; at one time*
einmalig *unique*
die **Einnahme: die Einnahme von Nahrung** *eating*
die **Einordnung, -en** *filing, classification*
einräumen: Kredit einräumen *to give credit, to lend*
einreichen *to send in*
einrichten *to set up, appoint, furnish;* ein Bankkonto einrichten *to open a banking account;* ein Girokonto einrichten *to open a checking account*
die **Einrichtung, -en** *furnishing*
einsam *lonely, lonesome*
einschliesslich *including*
der **Einschreibebrief, -e** *registered*

letter
einschulen *to start school*
einsetzen als *to employ as*
die **Einsicht: zur Einsicht** *for inspection*
die **Einsichtnahme: zur Einsichtnahme** *for inspection*
einstellen *to hire, employ; to stop, discontinue (payment); to set*
s. **einstellen auf** *to comply with*
die **Einstellung, -en** *adjustment, regulation, setting*
eintasten *to press a button*
einteilen zu *to assign to*
der **Eintritt: bei Eintritt der Fälligkeit** *at maturity*
einwerfen *to put in, insert*
das **Einwohnermeldeamt** *government office where one must register place of residence*
einzahlen (auf) *to pay into, make a payment; to deposit*
die **Einzahlung: die Einzahlung in einer Summe leisten** *to pay in one lump sum*
der **Einzelhandel** *retail business*
die **Einzelhandelskaufleute** (pl) *retailers*
die **Einzelheit, -en** *detail*
einzeln *single, particular; individual, separate;* jede einzelne Institution *each individual institution*
das **Einzelzimmer, -** *single room*
das **Eishockey** *ice hockey*
der **Elektriker, -** *electrician*
elektrisch *electric*
die **Elektromechanik** *electromechanics*
elektronisch *electronic*
die **Eltern** (pl) *parents*
empfehlen *to recommend*
die **Empfehlung, -en** *recommendation*
empfindlich *delicate, sensitive to*
enden *to end*
der **Endpreis, -e** *final price*
die **Englischkenntnisse** (pl) *knowledge of, proficiency in English*
entfernt *distant;* 10 Minuten von der Uni entfernt *10 minutes away from the university*
entgegennehmen *to accept*
das **Entgelt** *remuneration, pay*
enthalten *to contain*
entlang *along*
entlasten *to relieve*
entrichten *to pay;* in Teilen entrichten *to pay off in installments*

entschu. = entschuldigt *excused;*
Entschul. Tage *days absent with
an excuse*

die **Entscheidung, -en** *decision*

s. **entschliessen** *to decide to do
s.th.*

der **Entschluss, ⁻e** *decision, resolve;*
ihr Entschluss wurde immer fester
*she became more and more firmly
resolved*

entsprechen *to correspond to;*
den Anforderungen entsprechen
to meet the requirements

die **Entstehung** *development*

entweder: entweder . . . oder
either . . . or

entwerfen *to draft, sketch, de-
sign*

entwickeln *to develop*

entzündlich *inflammable*

das **Erdgeschoss, -e** *ground floor,
first floor*

das **Ergebnis, -se** *result*

erfahren (über) *to find out
(about); to learn*

die **Erfahrung, -en** *experience;* Er-
fahrungen schaffen *to gain ex-
perience*

das **Erfassungsgerät, -e** *computer;*
das modernste Erfassungsgerät
latest model computer

erfolgen *to take place; to effect;*
erfolgen zu *to figure at;* erfolgt
is effected

erfolgreich *successful*

erforderlich *required*

erfüllen *to fulfill*

ergeben *to result in*

der **Erhalt:** nach Erhalt *upon re-
ceipt*

erhalten *to get, receive, obtain*

die **Erhaltung** *preservation*

s. **erhöhen** *to increase*

erkennbar *recognizable*

erkennen *to recognize*

die **Erkenntnisse** (pl) *findings, in-
sights*

erklären *to explain*

das **Erlebnis, -se** *experience*

erlebnisreich *exciting*

erledigen *to settle, take care of*

erleichtern *to facilitate, to make
easy for*

der **Erlös** *proceeds, takings*

ermöglichen *to make possible*

ernsthaft *earnest, serious*

**erreichbar: telefonisch erreich-
bar unter** *can be reached at the
telephone number . . .*

erreichen *to reach*

die **Ersatzware, -n** *substitute mer-
chandise*

erscheinen *to arrive, appear;*
begründet erscheinen lassen *to
deem necessary*

ersetzen *to replace*

s. **ersparen** *to save o.s. (from do-
ing s.th.)*

die **Ersparnisse** (pl) *savings*

erspart *saved*

erst *only;* erst mal *first, to be-
gin with*

erst- *first*

erstmals *for the first time*

die **Erstattung, -en** *reimbursement,
refund*

**erteilen: einen Dauerauftrag er-
teilen** *to give a standing order*

die **Ertragseinbusse, -n** *reduction in
interest earned*

erwarten *to expect*

**erwecken: einen guten Eindruck
erwecken** *to make a good im-
pression*

erwerben *to acquire*

erwünschen *to desire, want*

erwünscht *desired*

erzählen *to tell, narrate*

das **Erzeugnis, -se** *product*

erzielen *to realize, obtain;* einen
Gewinn erzielen *to make a
profit*

essen *to eat*

das **Essen** *food*

die **Essensmarke, -n** *meal ticket*

der **Essenszuschuss** *some money for
meals*

das **EStG = Einkommensteuergesetz**
income tax regulations

das **Etikett, -e** *label*

etwaig- *possible*

etwas *something; somewhat,
rather;* etwas französisch *some
French*

europäisch *European*

europaweit *throughout Europe*

evangelisch *Protestant*

eventuell *possible*

evt. = eventuell *possible*

explosionsgefährlich *danger of
explosion*

der **Export, -e** *export*

extern *external*

F

das **Fach, ⁻er** *subject*

die **Fachakademie, -n** *professional
school*

der **Fachausdruck, ⁻e** *technical
term*

das **Fachgebiet, -e** *area of special-
ization*

das **Fachgeschäft, -e** *specialty store*

die **Fachkommission, -en** *panel of
experts*

die **Fachkraft: gelernte Fachkräfte**
qualified personnel

fachkundig *expert*

die **Fachschule, -n** *full-time busi-
ness or vocational school*

die **Fähigkeit, -en** *ability*

fahren *to drive, ride;* mit dem
Bus fahren *to take the bus, go by
bus*

der **Fahrer, -** *driver;* der Fahrer Kl.
II/III *driver with license class
II/III*

das **Fahrgeld** *fare*

die **Fahrgelderstattung** *reimburse-
ment for carfare*

der **Fahrplan, ⁻e** *schedule (of trains,
buses, etc.)*

die **Fahrschule, -n** *driving school*

der **Faktor, -en** *factor*

die **Fakultät, -en** *faculty;* die Be-
triebswirtschaftliche Fakultät
business school (of a university)

der **Fall, ⁻e** *case;* für einen solchen
Fall *for such a case;* im Fall *in
case of;* in diesem Fall *in this
case*

fallen unter *to fall under, come
under, be classified as*

fällig *due;* fällig sein am *to
fall due on*

die **Fälligkeit, -en** *due date, matu-
rity*

falls *in case*

der **Familienname, -n** *last name*

der **Familienstand** *marital status*

die **Farbe, -n** *color*

der **Farbfernseher, -** *color TV set*

das **Farbportable, -** *color portable
(TV)*

fast *almost*

f.d. = für die *for the*

fehlen *to miss, lack;* es fehlen
ihr gewisse Vorkenntnisse *she is
lacking a certain basic knowledge*

der **Fehler, -** *mistake*

die **Fehlzeit, -en** *period of absence;
time to be made up*

der **Feiertag, -e** *holiday*

der **Feinmechaniker, -** *precision tool
maker*

der **Feinschmecker, -** *gourmet*

das **Feld, -er** *area, field*

der **Fensterputzer, -** *window washer*

die **Ferien** (pl) *vacation*

der **Ferienjob, -s** *vacation job*

die **Ferienreise, -n** *vacation trip*

der **Ferientag, -e** *vacation day*

fern *far*

ferner *furthermore*

das **Ferngespräch, -e** *long-distance call*

das **Fernmeldeamt, ̈er** *telephone company*

die **Fernreise, -n** *travel abroad*

die **Fernschreiberin, -nen** *telex operator (f)*

das **Fernsehgerät, -e** *television set*

fertig *finished;* fertig werden mit *to finish with*

fest *firm*

festhalten *to put on record;* schriftlich festhalten *to retain in writing*

festigen *to improve, strengthen, firm up*

festlegen *to establish, set up*

feststellen *to realize, conclude*

die **Festzeit** *fixed time*

die **Filiale, -n** *branch office*

der **Filialleiter, -** *branch manager*

das **Finanzamt, ̈er** *tax office (Internal Revenue Office)*

finanziell *financial*

finanzieren *to finance*

die **Finanzlage** *financial situation*

finden *to find*

der **Finger, -** *finger*

das **Finnland** *Finland*

die **Firma, Firmen** *firm, company*

der **Fleischer, -** *butcher*

fleissig *hardworking, diligent*

das **Florenz** *Florence*

der **Föhn** *name of a warm Alpine wind*

der **Folgemonat, -e** *following month*

folgen *to follow;* wie folgt *as follows*

folgend- *following*

die **Folgerate, -n** *following installment*

fördern *to promote*

die **Forderung, -en** *demand; requirement*

die **Förderung, -en** *advancement, promotion*

die **Form, -en** *form;* in irgendwelcher Form *of whatever kind*

das **Formular, -e** *printed form, blank*

die **Fortbildungsmöglichkeit, -en** *possibility for advancement*

der **Fortschritt, -e** *progress*

die **Fotokopie, -n** *photocopy(ing)*

Fr. = Freitag *Friday*

die **Frage, -n** *question;* in Frage kommen *to come into question* **fragen** *to ask;* es frägt sich *it is a question of;* fragen nach *to inquire about*

das **Frankreich** *France*

französisch *French*

der **Fräser, -** *milling operator*

die **Frau, -en** *woman; wife*

das **Fräulein, -** *Miss*

frech werden *to get fresh*

frei *free; vacant*

der **Freibetrag, ̈e** *tax-free amount*

freitags *on Fridays*

freiwillig *voluntarily*

die **Freizeit** *leisure time, free time*

die **Freizeitgestaltung** *leisure-time activities, hobbies*

die **Fremdsprache, -n** *foreign language*

fressen *to eat up, use up*

die **Freude, -n** *pleasure*

s. **freuen** *to be glad, happy; to be pleased;* s. freuen auf *to look forward to;* s. freuen über *to be happy about*

freundlich *friendly, pleasant*

frisch *fresh*

der **Frischluftnarr, -en** *fresh air nut*

der **Frisörsalon, -s** *beauty parlor*

die **Frist** *a specified amount of time*

der **Fristablauf** *expiration, maturity*

Frl. = Fräulein *Miss*

der **Fronleichnam** *Corpus Christi*

früher *formerly*

die **Frühstückspause, -n** *coffee break*

führen *to lead*

der **Führerschein, -e** *driver's license*

die **Fülle** *abundance*

die **Fundsachen** *lost and found (department)*

fünfzehn *fifteen*

funktionieren *to function; to work out*

für *for*

der **Fuss, ̈e** *foot;* auf eigenen Füssen (stehen) *to stand on your own two feet, to be on your own, independent*

die **Fussangel, -n** *trap*

G

die **Gabel, -n** *hook*

ganz *whole, entire;* ganz besonders *especially;* ganz einfach *quite simple, easy;* ganz genau *very carefully;* ganz gut *pretty well*

ganztägig *full-time*

gar: gar nicht *not at all*

die **Garantie, -n** *warranty, guarantee*

der **Garantiefall:** im Garantiefall *in case the guarantee is used*

die **Garantieauskunft, ̈e** *information about the guarantee*

garantieren *to guarantee*

die **Garantieperiode** *period during which a warranty is valid*

der **Garantieschein, -e** *warranty, guarantee slip*

der **Gastarbeiter, -** *foreign worker*

die **Gastarbeiterfrage** *problems arising in connection with foreign workers*

geb. = geborene *née*

das **Gebäude, -** *building*

geben *to give;* da gibt es *there are;* die Hand geben *to shake hands*

das **Gebet, -e** *prayer;* das Gebet sprechen *to pray*

geboren *born*

der **Gebrauch** *use, usage;* Gebrauch machen von *to make use of*

der **Gebrauch, ̈e** *custom*

gebrauchen *to use*

die **Gebrauchsanleitung, -en** *instruction*

die **Gebrauchsanweisung, -en** *instructions for use*

die **Gebühr, -en** *fee*

gebührenfrei *free of charge*

gebürtig *native, born in, by birth*

das **Geburtsdatum, -daten** *date of birth*

der **Geburtsort, -e** *place of birth*

der **Geburtstag, -e** *birthday*

das **Gedächtnis** *memory*

der **Gedanke, -n** *idea, thought;* s. mit dem Gedanken tragen *to toy with the idea*

geehrt: Sehr geehrte Herren! *Gentlemen:*

die **Gefahr** *danger;* vor gesundheitlichen Gefahren schützen *to protect against health hazards*

das **Gefahrensymbol, -e** *danger symbol*

gefährlich *dangerous*

gefahrlos *safe, without danger*

gefallen: es gefällt mir *I like it;* es hat mir gut gefallen *I liked it very much*

gegen *against*

die **Gegend, -en** *area*

das **Gegenteil, -e** *opposite;* im Gegenteil *on the contrary*

gegenüber *vis-a-vis, across*

der **Gegenwert** *equivalent*

das **Gehalt, ̈er** *salary, wages*

die **Gehaltsabrechnung, -en** *pay slip*

der **Gehaltseingang, ̈e** *deposit of salary into bank account*

das **Gehaltskonto, -konten** *account to which one's salary is credited*

das **Gehäuse, -** *box*

gehen *to go (to);* wie es ihr geht *how she is doing*

gehören to belong to

das **Gelände, -** area

die **Geldanlage, -n** investment

der **Geldausgang, ⁻e** withdrawal

der **Geldberater** financial advisor

der **Geldeingang, ⁻e** deposit

das **Geldinstitut, -e** financial institution, bank

die **Geldverlegenheit: in Geldverlegenheit kommen** to be short of money

gelegen sein to be situated; to suit; attraktiv gelegen sein to be in a good location; günstig gelegen sein to be in a good location

die **Gelegenheit, -en** occasion

gelernt: gelernte Fachkräfte qualified personnel

gelten to be applicable; to apply; gelten als to be considered as; gelten für to apply to; das gilt für that holds true for

gemäss according to

die **Gemeinde, -n** municipality

gemeinnützig non-profit

das **Gemeinschaftslotto: Gemeinschaftslotto spielen** to play lotto together with several other people

der **Gemeinschaftsraum, ⁻e** recreation room

das **Gemüse, -** vegetable

der **Gemüsemarkt, ⁻e** vegetable market

der **Gemüsestand, ⁻e** vegetable stand

gemütlich cozy

genau exactly, closely; carefully; exact, detailed; ganz genau very carefully

geniessen to enjoy

genügen to be enough

genügend sufficient

die **Gepflogenheit, -en** custom

gepolstert upholstered

das **Gerät, -e** appliance, tool

das **Gerätesicherheitsgesetz** law pertaining to the safety of appliances, etc.

das **Gericht, -e** dish

geringer less

gern gladly, with pleasure; etwas gerne tun to like to do s.th.

ges. = gesucht wanted

gesamt total

die **Gesamtausgaben** (pl) total costs, total expenditure

das **Gesamtbrutto** gross total amount

das **Gesamtdarlehen, -** total amount of loan

die **Gesamtinformation, -en** overall information

das **Geschäft, -e** shop, store; business

der **Geschäftsbrief, -e** business letter

das **Geschäftsdeutsch** business German

die **Geschäftssprache** language of business; business terms

die **Geschäftsstelle, -n** branch office

die **Geschäftswelt** world of business

geschehen to happen

die **Geschichte, -n** story

geschickt skillful

das **Geschirr** dishes; Geschirr spülen to wash dishes

geschützt: gesetzlich geschützt patented

die **Geschwister** (pl) brothers and sisters

der **Gesellschafter, -** partner, shareholder

die **Gesellschaftsreise, -n** guided tour

das **Gesetz, -e** law

der **Gesetzgeber, -** legislator

die **Gesetzgebung, -en** legislation

gesetzlich legal, by law

die **Gesinnung** way of thinking, view, opinion

das **Gespräch, -e** talk, interview

die **Gestaltung** construction

die **Gesundheit** health

gesundheitlich concerning health

gesundheitsschädlich noxious, harmful to one's health

getrennt separate(ly); getrennt von separated from, away from

gewähren to grant

gewährleisten to insure; to guarantee

der **Gewerbetreibende, -n** manufacturer

gewerblich industrial, trade-related, professional, commercial

das **Gewicht, -e** weight

der **Gewichtsanteil, -e** percentage of total weight

die **Gewichtsklasse, -n** weight class, classification

der **Gewinn, -e** yield, profit

gewinnen aus to obtain from, gain from

gewiss- certain

s. **gewöhnen an** to get used to

gewöhnlich usual(ly); customary, common, ordinary

ggf. = gegebenenfalls if necessary, in case of

das **Gift, -e** poison

das **Girokonto, -konten** checking account

glauben to think, believe

der **Gläubiger, -** creditor

gleich at once, immediately; same; gleich sein to be the same; to correspond to, be equal to

gleichbleibend equal

gleichhoh- equal

gleiten to use flexible working hours; gleitende Arbeitszeit flexible working hours

die **Gleitzeit** flexible working hours, flex time

das **Gleitzeitguthaben** hours accumulated

das **Glück** luck; Glück haben to be lucky

der **Glückwunsch, ⁻e** congratulations; herzlichen Glückwunsch! congratulations!

die **GmbH = Gesellschaft mit beschränkter Haftung** incorporated company (with limited liability)

gold-gelb golden yellow

die **Gottesfurcht** fear of God

grad just

die **Grafik, -en** chart

das **Gramm** gram

das **Griechenland** Greece

grifflastig bottom heavy

gross great, big, large

das **Grossbritannien** Great Britain

das **Grossraumbüro, -s** large office with many desks in one room

der **Grossvater, ⁻** grandfather

die **Grosszügigkeit** generosity

der **Grund, ⁻e** reason

die **Grundlagenentwicklung** groundwork

grundsätzlich basically

die **Grundschule, -n** elementary school

der **Gruss, ⁻e** greeting; mit freundlichen Grüssen sincerely, kind regards

gültig valid

die **Gunst: zu Ihren Gunsten** to your credit; zu Ihren Gunsten buchen to enter to your credit

günstig convenient; favorable; günstig gelegen conveniently located

gut good; well; sehr gut very good, grade A

die **Gütegemeinschaft, -en** association that sets quality standards

die **Gütegrundlage** basis for quality

das **Gütesiegel, -** seal of quality

die **Güteüberwachung** *quality control*

das **Gütezeichen** *symbol of quality*

gutgehen *to be well off*

das **Guthaben, -** *bank or deposit account; credit balance*

gutschreiben *to credit (an account)*

das **Gymnasium, Gymnasien** *German secondary school*

H

haben *to have; Angst haben to be scared; unter sich haben to supervise*

das **Haben: im Haben stehen** *to have a credit balance*

die **Haftung: keine Haftung auf** *no guarantee, warranty on*

halbtags *part time*

die **Hälfte, -n** *half*

das **Halstuch, ̈er** *scarf*

das **Haltbarkeitsdatum, -daten** *date indicating how long a product can safely be sold*

halten *to hold; to keep; halten von to think of; für ratsam halten to think advisable*

die **Haltestelle, -n** *stop (for a bus, streetcar, etc.)*

die **Hand, ̈e** *hand; sie gibt jedem schön die Hand she shakes hands with everybody as is expected*

s. **handeln um** *to be about; es handelt sich um this is about, it concerns; the point in question is*

das **Handelsbuch, ̈er** *commercial ledger*

der **Handelsbrief, -e** *business letter*

die **Handelsklasse, -n** *class, grade of quality*

die **Handelsschule, -n** *trade school*

handgeschrieben *handwritten*

die **Handwäsche** *hand wash*

hätte: ob sie hätte *if she had*

häufig *frequent(ly)*

die **Hauptaufgabe, -n** *principal purpose, main job, task*

das **Hauptbüro, -s** *main office*

die **Hauptpost** *main post office*

das **Hauptpostamt, ̈er** *main post office*

der **Hauptschulabschluss, ̈e** *degree from an intermediate school*

die **Hauptschule, -n** *intermediate school*

das **Haus, ̈er** *house; im Hause on the premises; nach Hause (gehen) (to go) home; von Haus aus al-*

ready from their early education; zu Hause *at home*

die **Hausarbeit, -en** *housework*

die **Hausaufgabenbetreuung** *help with homework, tutoring*

der **Hausbesitzer, -** *landlord*

das **Haushaltsbuch, ̈er** *household ledger*

das **Haushaltsgeld, -er** *household money*

das **Haushaltsgerät, -e** *household appliance*

die **Hausnummer, -n** *house number*

die **Hauswirtschaft** *home economics*

hauswirtschaftlich: hauswirtschaftliche Praktikantin *person getting practical experience in a domestic situation*

heiraten *to marry*

heissen *to be called, (my) name is; to mean*

heiter *cheerful, happy*

die **Heizung** *heating*

helfen *to help, assist*

heller *lighter*

hellschimmernd- *bright*

herabsehen auf *to look down on*

herausfinden *to find out*

herausgeben *to publish*

heraussuchen *to pick, select*

die **Herkunft** *origin; Lebensmittel tierischer Herkunft animal products*

der **Herr, -en** *gentleman; Mr.*

der **Hersteller, -** *manufacturer*

das **Herstellungsdatum, -daten** *date of manufacture*

das **Herstellungsverfahren, -** *manufacturing process*

das **Herumreisen** *traveling around*

hervorgehoben *in bold print*

hervorheben *to stress, emphasize*

hervorragend *excellent*

das **Herz, -en** *heart; im Herzen in the heart of, in the middle of*

herziehen über *to pick to pieces*

heute *today, now*

heutzutage *nowadays, today, at the present time*

hier *here*

die **Hilfe** *ad, assistance, help*

der **Hilfsarbeiter, -** *unskilled worker*

hinsehen *to look (at, toward)*

der **Hinweis, -e** *instruction; information; hint*

das **Hinweisschild, -er** *sign*

hinzulernen *to learn s.th. new*

das **Hobby, -s** *hobby*

hoch *high*

hochachtungsvoll *yours truly, sincerely*

der **Höchstbetrag, ̈e** *maximum amount*

höchstens *at most, at best*

hochwertig *superior*

höflich *polite*

die **Höhe: bis zu einer Höhe von** *up to a limit of*

holländisch *Dutch*

hören *to hear; to receive notification*

der **Hörer, -** *telephone receiver*

die **Hörmuschel, -n** *ear piece*

die **Hose, -n** *pants, slacks*

die **Hotelleitung, -en** *hotel management*

der **Hotelmanager, -** *hotel manager*

das **Hotelzimmer, -** *hotel room*

hübsch *pretty; eine hübsche Summe a tidy sum*

der **Hut, ̈e** *hat*

das **Hypothekendarlehen, -** *mortgage loan*

I

immatrikulieren *to matriculate at a university*

immer *always, at all times; immer fester firmer and firmer; immer wieder again and again*

der **Importeur, -e** *importer*

in *in, into; im Jahr per year, yearly; (200 Mark) im Monat (200 marks) a month; in der Regel as a rule*

indem *by (+ -ing form of verb)*

die **Industrie- und Handelskammer** *Chamber of Commerce*

der **Industriebetrieb, -e** *industrial firm*

die **Industriekaufleute** (pl) *industrial managers*

das **Industrieunternehmen, -** *industrial enterprise*

das **Informationszentrum, -zentren** *information center*

infrarot *infra-red*

der **Inhaber, -** *bearer, holder*

die **Inhaberin, -nen** *bearer, holder (f)*

der **Inhalt** *contents, content*

die **Initiative, -n** *initiative*

inkl. = inklusiv *including; inkl. Heizung, Licht incl. heat, electricity*

das **Inland** *home country, domestic*

die **Innenstadt, ̈e** *inner city, downtown*

innerbetrieblich *operational; company (adj.)*

innerhalb *within*

das **Insekt, -e** *insect*
insgesamt *all in all; total*
insofern *as far as, insofar as*
die **Institution, -en** *institution*
intensiv *intensive(ly)*
interessant *interesting*
das **Interesse, -n** *interest;* von Interesse sein für *to be of interest to*
s. **interessieren für** *to be interested in;* interessiert sein an *to be interested in*
das **Inventar, -e** *inventory*
irgendein- *any*
irgendwelch- *whatever*
irgendwo *somewhere*
das **Irland** *Ireland*
das **Island** *Iceland*
das **Israel** *Israel*
das **Italien** *Italy*
italienisch *Italian*

J

das **Jahr, -e** *year;* im Jahr 1982 *in 1982*
das **Jahreseinkommen, -** *annual income*
die **Jahreshälfte** *half of the year*
der **Jahreszins, -en** *annual interest rate;* der effektive Jahreszins *real annual interest rate*
je: je länger *the longer;* je nach *according to*
jed- *each, every;* ohne jedes Risiko *without any risk*
jedermann *everybody*
jederzeit *at any time*
jedesmal *each time*
jemand *somebody*
jetzt *now*
jeweilig- *specific, corresponding*
jeweils *every time*
der **Job, -s** *job*
der **Joghurt** *yogurt*
das **Jugoslawien** *Yugoslavia*
jung *young*
die **Jungen** (pl) *young people*
die **Jüngste, -n** *the youngest*
die **Junioren** (pl) *junior employees*

K

der **Kaffee** *coffee*
die **Kaffeekasse, -n** *coffee kitty*
die **Kaffeepause, -n** *coffee break*
der **Kaffeetopf, ¨e** *coffee pot*
der **Kakao: durch den Kakao ziehen** *to pull s.o.'s leg, to poke fun at*
die **Kalkulation** *cost accounting department*
die **Kantine, -n** *employee cafeteria*

der **Karfreitag** *Good Friday*
die **Karte, -n** *card; map*
die **Kasse, -n** *cashier's window*
die **Kassenstunden** (pl) *hours cashier's window is open*
der **Kassenzettel, -** *cash receipt*
der **Katalog, -e** *catalogue, brochure*
katholisch *Catholic*
kaufen *to buy*
der **Käufer, -** *buyer*
die **Kauferklärung, -en** *intent to buy, make a purchase*
die **Kauffrau, -en** *professional business woman*
die **Kaufleute** (pl) *professional business men and women*
der **Kaufleute-Beruf, -e** *business profession*
der **Kaufmann, Kaufleute** *professional businessman*
kaufmännisch *commercial*
der **Kaufpreis, -e** *purchase price*
kaum *hardly*
kegeln *to bowl;* zum Kegeln gehen *to go bowling*
kein *no, none, not any*
die **Kenn-Nr. = Kenn-Nummer, -n** *identification number*
kennen *to know, be acquainted with;* s. kennen *to know each other*
kennenlernen *to get to know*
die **Kenntnisse** (pl) *knowledge;* besondere Kenntnisse *special fields of knowledge;* Kenntnisse in *knowledge of*
kennzeichnen *to mark with a price and description of quality*
die **Kennzeichnung, -en** *marking, labeling*
die **Kernzeit** *basic working hours*
die **KG = Kommanditgesellschaft** *limited partnership company*
das **Kind, -er** *child*
das **Kindergeld** *government subsidy to families with children*
die **Kirchensteuer, -n** *church tax*
der **Kirchgang** *visit to church*
die **Klage, -n** *claim*
klagen über *to complain about*
klar *clear*
klarmachen *to explain*
s. **klarwerden** *to become aware of*
die **Klasse, -n** *class, classification*
der **Klassenkamerad, -en** *classmate*
das **Kleid, -er** *dress*
die **Kleidung** *clothes, clothing*
klein *small*
der **Kleinbetrieb, -e** *small business, small company*
das **Kleingedruckte** *small print*
die **Kleinstadt, ¨e** *small city*

klingeln *to ring (the bell)*
klingen *to sound*
klopfen *to knock*
knacken *to crack, break open*
knackig *firm, plump*
knapp *barely*
der **Koffer, -** *suitcase*
die **Kohle, -n** *coal*
der **Kokon, -s** *cocoon*
der **Kollege, -n** *colleague*
der **Komfort** *luxury, ease*
die **Komfort-Wohnung, -en** *luxury apartment*
kommen *to come;* kommen von . . . zu *to get from . . . to;* zu spät kommen *to be late*
die **Kommunikation, -en** *communication*
komplett *complete;* die Bank mit dem kompletten Service *a full service bank*
konkret *concrete*
das **Konkursausfallgeld** *bankruptcy*
können *can, to be able to;* es kann sein *it is possible*
der **Konstrukteur, -e** *designer*
der **Konsumentenkredit, -e** *consumer loan*
der **Kontakt, -e** *contact*
das **Konto, -ten** *account;* ein persönliches Konto *checking account*
der **Kontoauszug, ¨e** *bank statement*
die **Kontobewegung, -en** *account movement, transaction affecting one's account*
die **Kontonummer, -n** *account number*
der **Kontostand** *account balance*
die **Kontoverbindung, -en** *account number and bank*
kontrollieren *to control; to check*
kopflastig- *top heavy*
kopieren *to copy*
der **Kopierer, -** *copier*
die **Körperpflege** *personal hygiene*
die **Korrespondenz** *correspondence, mail*
die **Korrespondenzablage, -n** *filing (of letters)*
der **Korridor, -e** *hallway, corridor*
die **Kost. Stelle = Kosten Stelle** *pricing department*
die **Kosten** (pl) *costs, expenses*
kostengünstig *inexpensive*
kostenlos *free of charge*
die **Kraft, ¨e** *energy; help, worker;* die Kräfte schonen *to save energy*
kräftig *hearty*
krank *sick*

das **Krankenhaus, ⸚er** *hospital*

die **Krankenkasse, -n** *health insurance*

die **Krankenschwester, -n** *nurse*

der **Krankheitsfall, ⸚e** *case of sickness*

der **Krankheitstag, -e** *sick day*

der **Kredit, -e** *credit;* der persönliche Kredit *personal loan*

der **Kreditberater, -** *credit officer*

die **Kreditberatung** *credit counseling services*

der **Kreditbetrag, ⸚e** *amount of loan*

das **Kreditinstitut, -e** *credit institution, bank*

der **Kreis, -e** *circle*

die **Krise, -n** *crisis*

kritisch *critical*

die **Küchenbenutzung** *kitchen privileges*

der **Küchendienst** *kitchen duty*

kühl *cool*

der **Kühlschrank, ⸚e** *refrigerator*

der **Kulturkreis, -e** *cultural background*

s. **kümmern um** *to attend to, take care of, look after; to bother*

der **Kunde, -n** *customer*

der **Kundenauftrag, ⸚e** *customer order*

der **Kundenberater, -** *customer service officer*

der **Kundendienst** *customer service*

die **Kundenkarte, -n** *customer card*

die **Kündigungsfrist** *period within which notice must be given*

künftig *future*

der **Kunstgegenstand, ⸚e** *object of art*

der **Kunststoff, -e** *synthetic, plastic*

der **Kupon, -s** *coupon*

der **Kurs, -e** *course (of instruction)*

das **Kursbuch, ⸚er** *schedule (train, etc.)*

kurz *short, brief; in short; vor kurzem recently*

das **Kurzarbeitergeld** *short time worker benefits*

die **Kurzbeschreibung, -en** *summary*

die **Kurzform -en** *abbreviated form*

kurzfristig *for a short while, short-term; temporary*

L

lachen *to laugh*

die **Ladenkasse, -n** *cash register*

die **Lage, -n** *location;* ruhige Lage *quiet neighborhood*

die **Lagerhaltung** *warehousing*

lakonisch *laconic, concise*

das **Lämpchen, -** *small lamp, light*

das **Land, ⸚er** *country; state*

die **Landeshauptstadt, ⸚e** *state capital*

die **Landeswährung, -en** *domestic currency*

lang *long;* vier Semester lang *for four semesters*

langweilig *dull, boring*

lassen *to leave, let;* s. etwas tun lassen *to have s.th. done;* s. zeigen lassen *to have (s.th.) shown (to you)*

die **Last: zu Ihren Lasten** *to your debit;* zu Ihren Lasten buchen *to enter to your debit;* zur Last fallen *to become a burden*

lästern über *to mock, run down*

die **Lastschrift, -en** *notification of debit*

laufen *to run;* über die Bank laufen *handled by the bank*

laufend: die laufende Information *current information*

die **Laufzeit, -en** *tenure of a loan*

laut *according to, in accordance with;* laut Gesetz *according to the law*

laut-: vor lauter Vornamen *with, because of all the first names*

die **Lautsprecherbox, -en** *speaker (box)*

leben *to live;* leben von *to live on*

das **Leben** *life*

die **Lebensauffassung** *outlook on life*

die **Lebenserfahrung, -en** *life experience*

der **Lebenslauf, ⸚e** *résumé*

die **Lebensmittel** (pl) *food items; groceries*

das **Lebensmittelgesetz, -e** *law pertaining to selling of food products*

die **Lebensversicherung, -en** *life insurance*

lebhaft *lively*

das **Leder, -** *leather*

ledig *single, unmarried*

der **Ledige, -n** *single person*

lediglich *solely*

leer *empty*

die **Leertaste, -n** *space bar (on a typewriter)*

legen: auf ein Konto legen *to put into an account;* Wert legen auf *to attach importance to*

die **Lehnenverstellung** *chair back adjustment*

die **Lehre, -n** *apprenticeship*

der **Lehrgang, ⸚e** *training program*

das **Lehrmädchen, -** *apprentice, trainee (f)*

die **Lehrstelle, -n** *apprenticeship, training position*

leicht *light, easy; slight*

leider *unfortunately*

das **Leinen** *linen*

der **Leinsamen** *linseed*

leisten *to effect; to pay;* die Einzahlung in einer Summe leisten *to pay in one lump sum*

s. **leisten** *to afford*

die **Leistung, -en** *service;* (pl) *benefits;* Zuschuss zur vermögenswirksamen Leistung *contribution to (employees') government savings plan*

die **Leistungsabteilung, -en** *services department*

die **Leitung, -en** *wire*

lernen *to learn*

lesbar *legible*

das **Lesegerät, -e** *read-off screen*

lesen *to read*

letzt- *last, latest*

die **Leuchtanzeige, -n** *illuminated screen*

die **Leute** (pl) *people*

das **Lexikon, Lexika** *dictionary*

der **Libanon** *Lebanon*

das **Licht** *electricity, light*

das **Lichtjahr, -e** *light year*

lieb *dear*

lieber *rather, sooner;* etwas lieber tun *to prefer to do s.th.*

das **Liechtenstein** *Liechtenstein*

liefern *to deliver*

die **Lieferung, -en** *shipment*

liegen lassen *to leave (behind)*

der **Locher, -** *hole puncher*

die **Lohnabzugstabelle, -n** *salary deduction table*

s. **lohnen** *to be worthwhile;* es lohnt sich nicht *it doesn't pay*

die **Lohnsteuer, -n** *(personal) income tax*

der **Lohnsteuer-Jahresausgleich** *annual tax adjustment*

die **Lohnsteuerkarte, -n** *identification card for income tax purposes*

die **Lohnzahlung** *payment of wages, salary*

das **Lokal, -e** *restaurant, pub*

das **Lösemittel, -** *solvent*

lösen *to solve*

losgehen *to start*

die **Luft** *air;* die Luft ist zum Schneiden *you could cut the air with a knife (it's so stuffy in here)*

lustig *merry; es geht lustig zu it's lots of fun, it's very merry*

das **Luxemburg** *Luxembourg*

M

machen *to make, do; Ablage machen to file; Angaben machen über to give information about; einen Test machen to take a test; grossen Spass machen to be lots of fun; machen aus to make of; minus machen to lose hours; plus machen to gain hours; s. Sorgen machen to worry*

das **Mädchen, -** *girl*

das **Magermilchpulver, -** *powdered skimmed milk*

die **Mahngebühr, -en** *late charge*

die **Mahnkosten** (pl) *expenses incurred due to late payment requests*

das **Mahnschreiben, -** *letter requesting payment*

die **Mahnung, -en** *request for payment*

der **Mai** *May; der 1. Mai May Day*

das **Mal: zum ersten Mal** *for the first time*

man *one, you, people (in general)*

manch- *many, some, several*

manchmal *sometimes*

der **Mangel, ⸚** *defect, blemish*

mangelfrei *free from defects, perfect*

mangelhaft *defective*

der **Mantel, ⸚** *coat, overcoat*

die **Mappe, -n** *folder, file*

die **Mark** *mark (German monetary unit)*

die **Marke, -n** *brand*

die **Markenbutter** *brand name butter*

der **Markt: auf den Markt bringen** *to market, sell*

das **Marktangebot** *items available at the market*

das **Morokko** *Morocco*

die **Maschine, -n** *machine; typewriter*

die **Maschinen-Wäsche** *machine wash*

maschineschreiben *to type; mit der Maschine geschrieben typewritten*

das **Maschineschreiben** *typing*

das **Mass: in zunehmendem Masse** *to an increasing extent*

massgebend sein für *to be the determining factor*

das **Material, -ien** *material*

maximal *maximum; at most*

die **Mechanik** *mechanics*

das **Mehl** *flour*

mehr *more; mehr von etwas haben to get more out of something*

mehrere *several*

mehrjährig- *over several years, several years'*

die **Mehrstückpackung, -en** *package containing several smaller packages*

die **Mehrwertsteuer, -n** *value-added tax*

meist- *most*

die **meisten** *most of them, most*

meistens *mostly, generally; most of the time, for the most part*

der **Meister, -** *master*

melden *to report; s. krank melden to call in sick; s. melden bei to report to*

die **Menge, -n** *quantity*

die **Mensa** *student cafeteria (at a college or university)*

der **Mensch, -en** *person; Mensch! boy!*

s. **merken** *to remember*

das **Merkmal, -e** *feature, characteristic*

messen *to measure*

Mi. = Mittwoch *Wednesday*

das **Mietangebot, -e** *rooms for rent*

die **Miete, -n** *rent*

die **Milchstrasse** *Milky Way*

mild *mild, delicate*

mindestens *at least*

die **Mini- Fernseher- Radio- Kombination** *mini combination television and radio set*

das **Minimum** *minimum*

der **Mini-Sparbetrag** *minimum amount necessary to open a savings account*

minus *less*

die **Minute, -n** *minute*

mit *with; at; mit der Post by mail*

die **Mitarbeit** *cooperation; work, employment*

der **Mitarbeitende, -n** *co-worker*

der **Mitarbeiter, -** *co-worker, colleague*

die **Mitarbeiterin, -nen** *co-worker, colleague (f)*

mitbekommen *to learn, pick up*

mitbringen *to bring along; Bitte keine Hunde mitbringen No dogs allowed*

mitfernsehen *to watch TV with somebody*

mitgeben *to give*

das **Mitglied, -er** *member*

mitmachen *to participate, to join in; eine Ausbildung mitmachen to participate in a training program*

mitnehmen *to take along, carry*

der **Mitschüler, -** *classmate*

das **Mittagessen, -** *lunch, midday meal*

mittags *at lunch time, at noon*

der **Mittagstisch** *midday meals; Mittagstisch im Haus company cafeteria*

mitte: mitte vierzig *in the mid forties*

mitteilen *to inform, let know*

die **Mittel** (pl) *means, funds; öffentliche Mittel public funds*

das **Mittelmeer** *Mediterranean Sea*

das **Mittelmeerland, ⸚er** *Mediterranean country*

die **Mittelschublade, -n** *center drawer*

mitten in *in the middle of*

mittler- *medium, medium-sized; die Mittlere Reife 10th grade high school leaving certificate*

die **Mitwohngelegenheit** *apartment to share*

Mo. = Montag *Monday*

möblieren *to furnish*

möbliert *furnished*

möchte *would like to*

modern *modern*

modernst- *most modern, latest*

möglich *possible*

die **Möglichkeit, -en** *possibility*

möglichst *as much as is possible, if possible, possibly*

die **Molkereibutter** *dairy butter*

der **Monat, -e** *month*

monatlich *monthly, per month*

der **Monatsauszug, ⸚e** *monthly statement*

das **Monatsgehalt, ⸚er** *monthly salary*

die **Monatszeitschrift, -en** *monthly magazine*

die **Montage, -n** *assembly*

die **Moral** *morale*

der **Morgen, -** *morning; guten Morgen! good morning!*

das **Motorrad, -räder** *motorcycle*

muldenförmig *trough-shaped*

mundfaul *tongue-tied*

die **Münze, -n** *coin*

müssen *to have to, must*

die **Mutter, ⸚** *mother*

die **Muttersprache, -n** *native language, mother tongue*

N

nach *after; according to; in accordance with;* nach Erhalt *upon receipt*

die **Nachhilfeunterricht** *extra help;* Nachhilfeunterricht geben *to tutor*

der **Nachmittag, -e** *afternoon*

der **Nachname, -n** *last name*

nachrechnen *to review, go over, check*

die **Nachricht, -en** *news, information, report;* Ihre Nachricht (vom) *your letter (of)*

nachschauen *to look, see*

nächst- *next*

nächstgelegen *closest, nearest*

nächstliegend *nearest*

der **Nachteil, -e** *disadvantage*

die **Nachtglocke, -n** *night bell*

nachtragen *to supply, fill in*

nah *near, close by*

die **Nähe: in der Nähe** *near, close by*

nähen *to sew*

die **Nähmaschine, -n** *sewing machine*

die **Nahrung** *food*

die **Nahrungsmittel** (pl) *food, groceries*

die **Nahrungsindustrie** *food industry*

der **Name, -n** *name*

das **Namenschild, -er** *name tag, name plate*

der **Namenszusatz, ̈e** *addition to one's name*

nämlich *of course, namely*

natürlich *of course, naturally*

das **Naturprodukt, -e** *natural product*

naturwissenschaftlich *pertaining to natural sciences*

neben *in addition to; next to; besides*

nebenbei *on the side*

nehmen *to take*

der **Nektar** *nectar*

die **Nektarine, -n** *nectarine*

nett *nice, friendly, pleasant*

das **Nettoeinkommen, -** *net income, take-home pay*

das **Nettogehalt, ̈er** *net salary*

der **Netzbetrieb** *AC power, line power*

neu *new*

das **Neujahr** *New Year's Day*

neulich *recently*

die **Neuerung, -en** *new regulation*

die **Neutralität** *neutrality, impartiality*

nicht *not*

der **Nichtraucher, -** *non-smoker*

nie *never*

die **Niederlande** (pl) *Netherlands*

niedrig *low(ly)*

noch *still, yet;* noch besser *even better;* noch einmal *again, once more; once again;* noch eins *one more thing*

das **Norditalien** *Northern Italy*

nördlich *northern*

normal *normal, regular, standard*

die **Normalstunden** (pl) *regular hours*

der **Normalwaschgang, ̈e** *normal (wash) cycle*

das **Norwegen** *Norway*

notwendig *necessary*

die **Nummer, -n** *number*

nur *only*

.nutzen *to use*

O

ob *whether, if*

obengenannt- *above-mentioned*

das **Oberitalien** *Northern Italy*

der **Oberschullehrer, -** *secondary school teacher*

das **Obst** *fruit*

der **Obststand, ̈e** *fruit stand*

obwohl *although, though*

oder *or;* entweder . . . oder *either . . . or*

der **Ofen, ̈** *stove*

offen *open*

offensichtlich *obviously*

öffentlich *public;* der öffentliche Dienst *civil service*

offerieren *to offer*

öffnen *to open*

oft *often*

ohne *without*

der **Oktober** *October*

die **Orange, -n** *orange*

ordentlich *orderly, respectable; proper, regular*

ordnen *to sort, put in order*

ordnungsgemäss *orderly, duly, as required (by law); lawful, according to law*

die **Organisation** *organization*

der **Organisationsbereich, -e** *organizational sector*

organisieren *to organize*

organisch *organic*

s. **orientieren** *to orient o.s.*

der **Ort, -e** *location, place; place of residence*

örtlich *local*

die **Ortsangabe, -n** *address*

die **Ortskenntnis, -se** *knowledge of, familiarity with a place*

das **Österreich** *Austria*

das **Ostern** *Easter*

P

paar: ein paar *a few*

die **Packung, -en** *package, wrapper*

die **Panne, -n** *trouble, problem*

das **Papier, -e** *paper*

der **Papierhalter, -** *paper bail (i.e. bar on typewriter to hold the paper down)*

parken *to park*

der **Parkplatz, ̈e** *parking place; parking lot*

das **Parterre** *first floor*

der **Pass, ̈e** *passport*

das **Passbild, -er** *passport photo*

passend *suitable, appropriate*

passieren *to happen*

der **Patient, -en** *patient*

das **Pech** *bad luck*

die **Pelzaufbewahrung, -en** *fur storage*

perfekt *perfect*

permanent *permanent;* die permanente Kraft *regular, fulltime employee*

die **Person, -en** *person*

das **Personal** *personnel*

die **Personalabteilung, -en** *personnel department*

das **Personalbüro, -s** *personnel office*

der **Personalchef, -s** *head of personnel (department)*

der **Personaldirektor, -en** *personnel manager, director of personnel*

die **Personalien** (pl) *personal data*

das **Personalmitglied, -er** *staff member*

die **Personalverwaltung, -en** *personnel department*

das **Personalwesen** *personnel department*

der **Personenwagen, -** *passenger car*

persönlich *personal;* ein persönliches Konto *checking account*

das **Pfand, ̈er** *refund, deposit*

das **Pfingsten** *Whitsuntide, Pentecost*

der **Pfirsich, -e** *peach*

die **Pflege** *care*

die **Pflegebehandlung, -en** *care*

die **Pflicht, -en** *obligation;* die Pflicht haben *to be obligated*

das **Pfund, -e** *pound*

die **Phono/Stenotypistin, -nen** *stenotypist who takes dictation from a dictaphone* (f)

der **PKW = Personenkraftwagen, -** *passenger car*

der **Plakatankleber, -** *poster hanger, person who pastes advertising posters on billboards*

der **Plan, ⸚e** *plan, map*

der **Platz, ⸚e** *place;* am falschen Platz *in the wrong place*

plötzlich *sudden, unexpected*

plus *plus*

das **Polen** *Poland*

der **Politiker, -** *politician*

politisch *political*

das **Polyester** *polyester*

das **Porto** *postage*

die **Post** *post office; mail*

das **Postamt, ⸚er** *post office*

der **Posten, -** *position, job*

das **Postfach, ⸚er** *post office box*

die **Postgebühren** (pl) *postage*

postlagernd *for General Delivery*

die **Postleitzahl, -en** *zip code*

der **Postscheck, -s** *check on a postal checking account*

das **Postscheckkonto, -konten** *postal checking account*

das **Postsparbuch, ⸚er** *passbook for a postal savings account*

die **Postüberweisung, -en** *postal money transfer*

die **Poularde, -n** *chicken*

praktisch *practical*

die **Prämie, -n** *premium*

prämienbegünstigt *carrying a special premium*

das **Prämiensparen** *premium savings*

die **Praxis, Praxen** *practice, doctor's office*

der **Preis, -e** *price*

die **Preisangabe, -n** *price; price quotation*

die **Preisangabepflicht** *obligation to price (items for sale)*

die **Preisangabeverordnung, -en** *pricing regulation*

die **Preisauszeichnung** *price display, labeling*

preisgünstig *inexpensive*

der **Preisknüller, -** *rockbottom price*

die **Preisminderung, -en** *price reduction*

das **Preisschild, -er** *price tag*

der **Preisvergleich, -e** *comparison of prices*

das **Preisverzeichnis, -se** *price list*

die **Preiswürdigkeit** *moderate price, good value*

der **Presse- und Informationsdienst** *press and information service*

prima *first rate, great*

privat *private;* privat wohnen *to rent a room or apartment in a private house (not a dorm, etc.)*

das **Privatkonto, -konten** *private account*

pro *per; for;* pro Monat *per month*

das **Problem, -e** *problem*

die **Produktivität** *productivity*

der **Professor, -en** *professor*

der **Prokurist, -en** *person authorized to sign for the firm*

der **Prospekt, -e** *prospectus, brochure*

die **Provision, -en** *commission*

das **Prozent, -e** *percent, percentage*

prüfen *to examine, check*

die **Prüfung, -en** *examination, test, testing*

psychologisch *psychological*

der **Publikumsverkehr** *office, window hours*

der **Pull-Pullover, -s** *pullover, sweater*

der **Punkt, -e** *point, dot*

pünktlich *on time, punctual*

die **Pünktlichkeit** *punctuality*

Q

die **Qualität, -en** *quality*

die **Qualitätskennzeichnung, -en** *designation of quality*

die **Qualitätsklasse, -n** *class of quality*

R

die **Rakete, -n** *rocket*

Rand, ⸚er *edge; margin*

der **Randsteller, -** *margin setter (on a typewriter)*

rankommen: an etwas rankommen *to get, acquire*

der **Rat** *advice;* mit Rat und Tat zur Seite stehen *to assist in every way necessary*

die **Rate, -n** *installment*

raten *to advise*

die **Ratenzahl:** Ratenzahl insgesamt *total number of installments*

ratsam *advisable*

ratschen *to gossip*

rauchen *to smoke*

der **Raum, ⸚e** *room; area*

die **Realschule, -n** *type of German secondary school*

rechnen mit *to count on, expect*

die **Rechnung, -en** *invoice, bill;* für

unsere Rechnung *for our accounts*

die **Rechnungsabteilung, -en** *billing department*

der **Rechnungsbetrag, ⸚e** *amount billed*

das **Recht, -e** *right; justice; law;* Recht haben auf *to be entitled to*

recht *right*

rechts *on the right side*

der **Rechtsanwalt, ⸚e** *lawyer*

die **Rechtschaffenheit** *honesty*

rechtzeitig *on time*

die **Redewendung, -en** *idiom*

die **Rede:** davon kann keine Rede sein *it is out of the question*

die **Redlichkeit** *integrity*

das **Referat, -e** *subject area*

das **Regal, -e** *shelf*

die **Regel, -n** *rule;* in aller Regel *as a rule, generally;* in der Regel *as a rule*

regelmässig *regularly*

die **Registratur, -en** *central file, records department*

die **Rehabilitation:** die berufliche Rehabilitation *job rehabilitation*

die **Reihe, -n** *series*

die **Reihenfolge, -n** *sequence*

die **Reinigung, -en** *cleaners; cleaning*

die **Reinigungsart, -en** *method of cleaning*

reinigungstechnisch: reinigungstechnisch empfindliche Kleidung *delicate wash, clothing that could be damaged by cleaning solutions*

die **Reinigungstrommel, -n** *drum of a dry cleaning machine*

die **Reise, -n** *trip, travel*

das **Reisebüro, -s** *travel agency*

die **Reisebürokaufleute** (pl) *professional travel agents*

der **Reisegast, ⸚e** *guest*

das **Reisegeld** *travel money, money one takes along on a trip*

die **Reiseleiterin, -nen** *tour guide* (f)

reisen *to travel*

die **Reisswolle** *reused and reprocessed wool*

der **Reizstoff, -e** *irritant*

der **Rektor, -en** *president, chancellor of a university*

die **Religion, -en** *religion*

die **Religionszugehörigkeit, -en** *religious affiliation*

die **Rentenversicherung, -en** *old age insurance*

die **Reparatur, -en** *repair*

die **Reparaturfreundlichkeit** *good repair record; (item) easy to repair*

der **Report, -e** *report*

der **Restbetrag, ⁼e** *residual, remaining amount*
restlich *remaining*
der **Resturlaub** *remaining vacation days*
s. **richten nach** *to be determined by, to depend upon; to comply with, to follow (regulations)*
richtig *right, correct(ly)*
riechen *to smell*
das **Risiko, -ken** *risk*
die **Rohstoffbezeichnung, -en** *labeling of raw materials*
der **Rohstoffgehalt** *content of raw materials*
der **Rolladen, ⁼** *shutter that can be rolled down over window*
rot *red*
die **Rubrikanzeige, -n** *classified ad*
die **Rückenlehne, -n** *backrest*
die **Rückerstattung, -en** *refund*
die **Rückfrage, -n** *inquiry*
der **Rückschein, -e** *return receipt; gegen Rückschein return receipt requested*
die **Rückseite, -n** *reverse side*
die **Rückzahlung, -en** *reimbursement; refund*
rufen *to call*
ruhen *to rest*
ruhig *quiet*
das **Rumänien** *Rumania*
rund *around, approximately*

S

das **Sacco-Kleid, -er** *sheath*
die **Sache, -n** *thing; eine tolle Sache a fantastic deal*
sagen *to say, tell; wie gesagt as (I) said before*
das **Sammelbecken, -** *reservoir*
sammeln *to collect; to accumulate*
die **Samstagsausgabe** *Saturday edition (of a newspaper)*
samstagvormittags *Saturday mornings*
satt *full; ich habe es satt I'm fed up*
sauber *clean*
die **Sauberkeit** *cleanliness*
die **S-Bahn** *city rapid transit system*
der **Schadenersatz** *damages*
schaffen *to create, produce; to accomplish; s. Erfahrung schaffen to gain practical experience*
die **Schaffenskraft** *productivity*
der **Schalter, -** *counter, window*
der **Schalterbeamte, -n** *clerk behind the counter or window; teller*

der **Schaltermitarbeiter, -** *window clerk, teller*
die **Schalterstunden** (pl) *office, window hours; in- und ausserhalb der Schalterstunden during and after office hours*
das **Schaufenster, -** *display window*
der **Scheck, -s** *check*
der **Scheckbetrag, ⁼e** *face amount of a check*
die **Scheckeinlösung, -en** *cashing of a check*
das **Scheckheft, -e** *checkbook*
das **Scheckkonto, -konten** *checking account*
scheinen *to seem, appear*
schenken *to give (as a gift)*
die **Schicht, -en** *shift*
schicken *to send; schicken an to send to*
Schi laufen *to ski*
der **Schläger, -** *racket*
schlecht *bad*
das **Schlechtwettergeld** *compensation for time lost due to bad weather*
schliessen *to close, shut*
der **Schlosser, -** *locksmith*
der **Schlüssel, -** *key*
schmackhaft *tasty*
schmecken *to taste*
schneiden *to cut*
schnell *quick(ly), fast, prompt(ly)*
das **Schnürchen, -** *little string; wie am Schnürchen to go like clockwork*
schon *already*
schön *beautiful, pretty, nice; schönen guten Morgen! good morning! sie gibt jedem schön die Hand she shakes hands with everybody as is expected*
schonen *to preserve, protect; die Kräfte schonen to save energy*
der **Schonwaschgang ⁼e** *delicate (wash) cycle*
schräg: schräg gegenüber *diagonally across, almost opposite*
das **Schreiben, -** *letter*
die **Schreibkraft, ⁼e** *typist*
die **Schreibmaschine, -n** *typewriter*
die **Schreibmaschinen-Kenntnisse** (pl) *typing skills, ability*
die **Schreibmaschinenkraft, ⁼e** *typist*
die **Schreibmaschinenprüfung, -en** *typing test*
der **Schreibsaal, -säle** *large area office space; typing pool*
die **Schreibschale, -n** *pen holder*
der **Schreibtisch, -e** *desk*

die **Schreibtischlampe, -n** *desk lamp*
die **Schreibunterlage, -n** *desk pad*
die **Schriftform: bedarf der Schriftform** *must be in writing*
die **Schriftgutablage** *filing of correspondence*
schriftlich *written, in writing*
schroten *to grind, shred*
die **Schublade, -n** *drawer*
die **Schüchternheit** *shyness*
die **Schulabgängerin, -nen** *school graduate (f)*
der **Schulabschluss, ⁼e** *school graduation*
die **Schuld** *fault*
schulden *to owe*
der **Schuldirektor, -en** *principal*
die **Schule, -n** *school; die Schule besuchen to attend school*
das **Schuljahresende, -n** *end of the school year*
die **Schurwolle** *virgin wool*
der **Schutz** *protection; zum Schutz for the protection of*
schützen *to protect; schützen vor to protect from, against*
schwach *weak; low*
schwarz *black; das Schwarze Brett bulletin board*
das **Schweden** *Sweden*
der **Schweisser, -** *welder*
die **Schweiz** *Switzerland*
die **Schwenkrolle, -n** *caster*
schwer *difficult, hard*
der **Schwerbehinderte, -n** *severely handicapped person*
s. **schwertun** *to have a hard time (doing s.th.)*
die **Schwester, -n** *sister*
die **Schwierigkeit, -en** *difficulty*
schwimmen *to swim*
sechzig *sixty; in den sechziger Jahren in the sixties*
sehen *to see*
sehr *very*
die **Seide** *silk*
seidenspinnend *silk spinning*
sein *to be; es sei denn unless; seit since, for; seit Jahr und Tag ever since one can remember*
seitdem *since (then, that time)*
die **Seite, -n** *side; page; mit Rat und Tat zur Seite stehen to assist in every way possible*
die **Seitenwand, ⁼e** *side*
die **Sekretärin, -nen** *secretary (f)*
selbst *herself (himself, etc.)*
das **Selbstbedienungsgeschäft, -e** *self-service store*
der **Selbstkostenpreis, -e** *cost price*
selbstverständlich *of course, naturally*

das **Semester, -** _semester_
der **Sendersuchlauf** _station scanner_
die **Sendung, -en** _program, broadcast_
senkrecht _vertical_
separat _separate_
der **September** _September_
die **Servierhilfe, -n** _bus boy_
setzen _to put;_ s. setzen _to sit down_
sicher _secure, safe_
die **Sicherheit** _safety;_ die soziale Sicherheit _social security_
das **Sicherheitszeichen, -** _safety symbol_
sicherstellen _to guarantee_
sichtbar _visible_
das **Siegel, -** _seal_
s. **siezen** _to say "Sie" to each other_
die **Sitte, -n** _custom;_ die Sitten und Gebräuche _manners and customs_
sitzend _sitting down_
die **Sitzfederung** _cushioning_
die **Sitzhöhe** _height of chair seat_
die **Sitzfläche, -n** _seat (of a chair)_
so _so; well then;_ so ein _such a;_ so viel wie _as much as_
sofort _at once, immediately_
sogar _even_
sogenannt _so-called_
solch- _such, such a_
solid _dependable_
das **Soll:** die Soll-Monatsstunden (pl) _required monthly hours;_ im Soll stehen _to be overdrawn (on one's account)_
sollen _to be supposed to, ought to, should;_ sollte _should_
die **Sommerarbeit, -en** _summer job_
die **Sommerferien** (pl) _summer vacation_
das **Sommerfest, -e** _summer festival; summer party_
das **Sonderangebot, -e** _special offer_
das **Sonnensystem** _solar system_
sonst. = sonstig _other_
sonstig _other_
sonstiges _miscellaneous_
sonntags _Sundays_
die **Sorge, -n** _care, worry;_ Sorge tragen für _to take care of, be responsible for;_ s. Sorgen machen _to worry_
sorgen für _to see to, take care of_
die **Sorgfalt** _care_
sorgfältig _careful(ly)_
sortieren _to sort, classify_
soweit _so far;_ soweit möglich _as much as possible_
sowie _as well as_
sowieso _anyway_

die **Sowjetunion** _Soviet Union_
sowohl: sowohl . . . als auch _as . . . as well as_
sozial _social_
der **Sozialversicherungsbeitrag, ⸚e** _contribution, payment to social security_
die **Soziologie** _sociology_
die **Spalte, -n** _column;_ in der Spalte _under the column_
das **Spanien** _Spain_
das **Sparangebot, -e** _savings plan_
das **Sparbuch, ⸚er** _savings passbook_
die **Spareinlage, -n** _savings deposit_
sparen _to save_
das **Sparen** _saving_
die **Sparform** _type of savings_
der **Spargewinn** _savings yield_
die **Sparkasse, -n** _savings bank_
das **Sparkonto, -konten** _savings account_
die **Sparprämie, -n** _savings premium_
sparsam _thrifty, economical_
der **Sparvertrag, ⸚e** _savings agreement, plan_
die **Sparzulage, -n** _savings increase_
der **Spass** _fun;_ denen es Spass macht _those who would like to_
später _later, later on_
speichern _to store_
die **Speisekarte, -n** _menu_
die **Spesen** (pl) _charges_
die **Spezialität, -en** _specialty_
das **Spezialunternehmen, -** _specialized company_
das **Spiegelbild, -er** _reflection_
spielen _to play; to act, take the part of_
das **Spielzeug, -e** _toy_
der **Sport** _sport;_ Sport treiben _to go out for sports_
das **Sportgerät, -e** _sports equipment_
die **Sprachkenntnisse** (pl) _knowledge of foreign languages_
der **Sprachkurs, -e** _language course_
sprechen _to speak, talk;_ das Gebet sprechen _to pray;_ sprechen mit _to talk to, contact;_ sprechen über _to talk about, discuss_
die **Sprechmuschel, -n** _mouth piece_
das **Spülbecken, -** _sink_
die **Spülung, -en** _rinse_
der **Staat, -en** _state, country, government_
staatlich _public, state_
die **Stadt, ⸚e** _city_
die **Stadtfahrt, -en** _city tour_
das **Stadtgebiet, -e** _area within city limits_
städtisch: städtischer Bereich _with the city limits_

der **Stadtrand, ⸚er** _outskirts of the city_
der **Stadtteil, -e** _section of a city_
die **Stamm-Nummer, -n** _original number, reference number_
standardisieren _to standardize_
ständig _regular, constant_
der **Staplerfahrer, -** _fork lift operator_
stark _strong, high_
der **Start, -s** _start, beginning_
statistisch _statistical_
stattlich _substantial_
der **Staubsauger, -** _vacuum cleaner_
die **Stechuhr, -en** _time clock_
stecken _to put_
stehen _to stand; to be located;_ zur Seite stehen _to assist, help;_ zur Verfügung stehen _to be available, at one's disposal_
stehenbleiben _to stop_
steigern _to increase_
die **Stelle, -n** _position, job; spot, place; authority; agency_
stellen _to provide;_ eine Frage stellen _to ask a question_
das **Stellenangebot, -e** _help-wanted ad_
die **Stellung, -en** _position, job_
der **Stempel, -** _rubber stamp_
das **Stempelkissen, -** _stamp pad_
stempeln _to stamp_
der **Stempelständer, -** _stand for rubber stamps_
die **Stempelung, -en** _stamp_
Steno _shorthand_
die **Stereoanlage, -n** _stereo set_
stets _always, constantly_
die **Steuer, -n** _tax_
die **Steuergehilfin, -nen** _person trained to assist a tax consultant_
die **Steuergutschrift** _tax refund_
die **Steuerkarte, -n** _tax information card_
die **Steuerklasse, -n** _tax classification, tax category_
die **Steuernummer, -n** _tax number_
steuerpflichtig _taxable;_ steuerpflichtiges Brutto _gross taxable income_
die **Stiftung, -en** _foundation_
stimmen: heiter stimmen _to make happy_
das **Stockwerk, -e** _story, floor_
stören _to annoy, bother_
stornieren _to cancel_
der **Stossverkehr** _rush hour_
St.-pfl. Brutto = steuerpflichtiges Brutto _gross taxable income_
die **Strasse, -n** _street_
die **Strassenecke, -n** _street corner_
der **Strichcode** _bar code_
der **Strumpf, ⸚e** _stocking_

der **Student, -en** _student_
die **Studentenstadt,** ⸚**e** _student housing_
die **Studentin, -nen** _student (f)_
das **Studienjahr, -e** _academic year; year of study_
der **Studienplatz,** ⸚**e** _place of study_
studieren _to study;_ studieren an _to study at (a university)_
das **Studium, -ien** _studies;_ mit dem Studium aussetzen _to interrupt one's studies_
stufenlos _without gradations; smooth_
der **Stuhl,** ⸚**e** _chair_
das **Stuhloberteil, -e** _chair seat_
die **Stunde, -n** _hour_
die **Stundenabrechnung,** **-en** _time sheet_
der **Stundenvortrag** _hours carried forward (from the previous month)_
suchen _to look for, seek, want;_ suche _wanted_
die **Süddeutsche Zeitung** _name of a Munich newspaper_
der **Süden** _south_
südlich _southern_
die **Summe, -n** _sum, amount_
der **Supermarkt,** ⸚**e** _supermarket_
die **Suppe, -n** _soup_
das **Surfbrett, -er** _surf board_
das **Symbol, -e** _symbol_
sympathisch _likeable, nice_
die **SZ = Süddeutsche Zeitung** _name of a newspaper published in Munich_

T

tabellarisch _tabular_
der **Tag, -e** _day_
der **Tagesauszug,** ⸚**e** _daily statement_
täglich _daily_
der **Tankstellenbereich** _area around a filling station_
die **Tasche, -n** _pocket_
die **Taste, -n** _key (on a typewriter);_ eine bestimmte Taste bedienen _to touch a specific key_
das **Tastenfeld** _keyboard_
tätig sein _to be employed_
die **Tatsache, -n** _fact_
s. **täuschen** _to be mistaken_
tausend _thousand;_ Tausende von Studenten _thousands of students_
der **Taxifahrer, -** _cab driver_
das **Team, -s** _team_
technisch _technical_
der **Teil, -e** _part; installment_
die **Teilverpflegung** _some meals_
teilweise _partly, to some extent_

der **Teilzahlungspreis, -e** _installment price_
die **Teilzeitbeschäftigung, -en** _part-time employment_
Tel = Telefon _telephone_
das **Telefon, -e** _telephone_
der **Telefondienst** _telephone duty_
die **Telefongebühr, -en** _telephone charges_
die **Telefonleitung, -en** _telephone line_
telefonisch _by telephone_
die **Telefonistin, -nen** _telephone operator (f)_
das **Telegramm, -e** _telegram_
das **Telex** _telex_
die **Temperatur,** **-en** _temperature;_ die wäschegerechte Temperatur einstellen _to set the correct temperature_
der **Temperaturbereich, -e** _temperature range_
das **Tennis** _tennis_
der **Teppichboden,** ⸚ _wall-to-wall carpeting_
der **Termin, -e** _date, appointment_
termingerecht _on time_
der **Test, -s** _test_
testen _to test_
das **Testergebnis, -se** _test results_
die **Testveröffentlichung,** **-en** _publication of test results_
teuer _expensive_
der **Text, -e** _text_
das **Textbuch,** ⸚**er** _textbook_
das **Textilkennzeichnungsgesetz** _law pertaining to labeling of textiles_
die **Textilwaren (pl)** _textiles_
das **Thema, Themen** _subject, theme, topic_
die **Tiefkühltrühe, -n** _freezer_
tierisch _animal_
der **Tip, -s** _hint, tip_
tippen _to type_
der **Tisch, -e** _table_
die **Tischhöhe** _height of a table (or desk)_
die **Tischplatte, -n** _tabletop_
das **Tischtelefon, -e** _desk phone_
der **Titel, -** _title_
die **Tochter,** ⸚ _daughter_
das **Töchterchen, -** _little daughter_
toll _fantastic, great_
der **Tourist, -en** _tourist_
tragen _to carry, bear; to wear;_ s. mit dem Gedanken tragen _to toy with the idea;_ Sorge tragen für _to take care of, be responsible for_
träumen _to dream_
die **Traumreise, -n** _dream trip, vacation_
s. **treffen** _to meet_

trinken _to drink_
trocken _dry_
trotz _in spite of_
die **Tschechoslowakei** _Czechoslovakia_
tüchtig _capable, hardworking, efficient_
tun _to do_
das **Tunesien** _Tunisia_
die **Tür, -en** _door_
die **Türkei** _Turkey_

U

die **U-Bahn, -en** _subway_
über _over; above; about_
überall _anywhere, everywhere_
der **Überblick** _survey_
überblicken _to overlook, survey_
übereinstimmen mit _to agree with_
überfordern _to demand too much_
überhaupt _in general, on the whole; after all_
überlegen _to think about, consider_
übernächst: übernächste Woche _the week after next_
übernehmen _to take over_
überschreiten _to exceed_
die **Überschuhe (pl)** _overshoes, galoshes_
übersehen _to look over; to overlook_
übersteigen _to exceed_
die **Überstunden (pl)** _overtime_
übertragen _to carry over, transfer_
überwältigen _to overwhelm;_ überwältigt sein _to be overwhelmed_
überweisen _to transfer;_ überweisen lassen _to have s.th. transferred_
die **Überweisung, -en** _transfer_
der **Überweisungsauftrag, -e** _(money) transfer order_
überwiegend _predominant(ly)_
überziehen: ein Konto überziehen _to overdraw an account_
übrig: im übrigen _moreover, otherwise;_ übrig sein _to be left over_
übrigbleiben _to be left over_
die **Übung, -en** _practice, exercise;_ Übung macht den Meister _practice makes perfect_
die **Uhr, -en** _watch, clock;_ um die Uhr _around the clock, 24 hours;_ 14 Uhr _2 PM_
die **Uhrzeit, -en** _time by the clock;_

die Uhrzeit gemäss Stempelung *time punched in on a timecard*

der **Ultimo** *last day of the month*

um *at; around;* um die Uhr *around the clock;* um so höher *all the higher*

umgehen mit *to handle*

der **Umfang** *extent*

der **Umlegekalender, -** *desk calendar*

umrandet: grün umrandete Felder *areas outlined in green*

die **Umrechnung, -en** *conversion*

der **Umschalter, -** *shift key (on a typewriter)*

der **Umschlag, ⁼e** *envelope*

die **Umschlagseite, -n** *inside of book jacket*

der **Umstand, ⁼e** *circumstance*

umsteigen *to change (trains, etc.)*

der **Umtausch** *exchange*

umweltfreundlich *not harmful to the environment; ecologically sound*

s. **umziehen** *to change (clothes)*

der **Umzug, ⁼e** *move, relocation*

die **Unabhängigkeit** *independence*

unaufschiebbar *not to be postponed, urgent*

unbar *not in cash*

unbedingt *by all means*

und *and;* und zwar *namely*

unentbehrlich *indispensable*

unentsch. = unentschduldigt *unexcused;* unentschuldigte Tage *days absent without an excuse*

das **Ungarn** *Hungary*

die **Uni, -s** *university*

die **Universität, -en** *university*

unnötig *needlessly*

unser *our;* wir wollen das unsere tun *we want to do our share, part*

die **Unstimmigkeit, -en** *discrepancy*

unterbrechen *interrupt*

s. **unterhalten** *to talk, converse;* s. unterhalten mit *to have a conversation with;* s. unterhalten über *to talk about, discuss*

die **Unterhaltung** *entertainment*

die **Unterlagen** (pl) *documents, files, records*

unterliegen *to be subject to*

das **Unternehmen, -** *enterprise*

unterrichten *to instruct, inform;* unterrichtet sein *to be informed*

die **Unterrichtsstunde, -n** *class of instruction*

der **Unterschied, -e** *difference*

unterschreiben *to sign*

die **Unterschrift, -en** *signature*

die **Untersuchung, -en** *investigation*

unterwegs *on the way, en route, while traveling*

unverheiratet *unmarried*

unverständlich *incomprehensible;* es war ihr unverständlich *she didn't understand at all*

unvorhergesehen *unexpected, unforeseen*

die **Unwissenheit** *ignorance*

Url.-Anspruch = Urlaubsanspruch *vacation days (due)*

das **Urlaubsgeld** *vacation pay*

der **Urlaubstag, -e** *vacation day*

Url.-Tage = Urlaubstage *vacation days (taken)*

die **Ursache, -n** *cause*

ursprünglich *original*

usw. = und so weiter *and so on, etc.*

V

der **Vater, ⁼** *father;* Vater Staat *German equivalent of Uncle Sam*

das **Väterchen:** Väterchen Staat *affectionate variation of* Vater Staat

veranlassen *to order, arrange; to cause*

verantwortlich *responsible*

verarbeiten *to process*

verbessern *to improve*

der **Verbrauch** *consumption*

der **Verbraucher, -** *consumer*

der **Verbraucherberatungsstelle, -n** *consumer advisory office, better business bureau*

verbringen *to spend (time)*

verbunden sein *to be connected*

verdanken *to owe to*

verdienen *to earn*

der **Verdienst** *earnings*

der **Verdienstnachweis** *proof, statement of earnings*

verehrt: sehr verehrte Kundin *dear customer (f);* sehr verehrter Kunde *dear customer (m)*

der **Verein, -e** *association, club*

vereinbaren *to arrange*

die **Vereinbarung, -en** *arrangement*

verfallen *to expire*

verfügen über *to have at one's disposal;* frei verfügen über *to do as one pleases with*

die **Verfügung: zur Verfügung bleiben** *to remain at (s.o.'s) disposal;* zur Verfügung stehen *to be available*

vergehen *to go by (time)*

vergessen *to forget*

vergleichen *to compare*

die **Vergütung, -en** *credit entry, payment;* (pl) *credit entries*

s. **verhalten** *to act, behave, conduct o.s.;* s. distanziert verhalten *to keep one's distance*

das **Verhältnis, -se** *relationship;* in ärmlichen Verhältnissen wohnen *to live under poor conditions*

verhältnismässig *relatively, comparatively*

verhandeln *to deal with*

der **Verheiratete, -n** *married person*

der **Verkauf, -** *sales department*

der **Verkäufer, -** *salesman*

die **Verkäuferin, -nen** *saleswoman*

die **Verkaufsstelle, -** *branch store*

verlangen *to ask for, demand; claim; to require;* verlangen von *to demand of*

verlängern *to extend*

verlieren *to lose*

verlockend *tempting*

vermerken *to note*

vermieten *to rent (to);* ab sofort zu vermieten *for immediate occupancy*

der **Vermieter, -** *landlord*

die **Vermittlung, -en** *mediation; agency; settlement;* die Vermittlung von Schwerbehinderten *job placement for the severely handicapped*

das **Vermögen, -** *assets, capital, equity; wealth, fortune*

das **Vermögensbild** *personal assets*

die **Vermögensbildung:** anteilige Vermögenbildung *participatory contribution to premium savings*

vermögenswirksam *asset-building*

veröffentlichen *to publish*

die **Verordnung, -en** *regulation*

verpackt *packaged, pre-packaged*

die **Verpackung, -en** *packaging, wrapper*

verpatzt *fouled up, bungled*

verpflichten *to commit*

die **Verrechnungskosten** (pl) *clearing charges*

verreisen *to travel, go on a trip*

verrichten *to perform, do*

der **Versand** *shipping*

das **Versandhaus, ⁼er** *mail-order house*

verschenken *to give away*

verschieden *different, various*

s. **verschlafen** *to oversleep*

verschlüsselt *coded*

versehen mit *to supply with;* mit

einem Preis versehen *to be marked with a price*
versetzen *to transfer*
die **Versicherungsprämie, -n** *insurance premium*
s. **versorgen** *to take care of o.s.*
versprechen *to promise*
der **Verstand** *understanding; mind, intelligence*
verständigen *to inform*
das **Verständnis** *understanding;* Verständnis haben für *to understand s.th.; to appreciate s.th.*
verstehen *to understand, comprehend*
verstellbar *adjustable*
versteuern *to tax;* das zu versteuernde Jahreseinkommen *the taxable annual income*
der **Verstoss, ⸚e** *violation*
versuchen *to try*
verteilen *to distribute*
die **Verteilung, -en** *distribution*
der **Vertrag, ⸚e** *agreement, contract*
die **Vertragsabschrift, -en** *contract copy*
vertraut: s. vertraut machen mit *to get acquainted with, familiarize o.s. with;* vertraut sein mit *to be familiar with*
der **Vertreiber, -** *distributor*
verwalten *to manage; to administer*
die **Verwaltung, -en** *administration*
der **Verwaltungsbereich, -e** *administrative sector*
die **Verwaltungsstelle, -n** *administrative office*
verwechseln *to mistake (for)*
verwenden *to use, employ*
verwirrend *confusing*
verzinsen *to pay or charge interest*
der **Verzug:** im Verzug sein *to be in arrears;* in Verzug geraten *to get behind with payments*
viel *much, a lot; (pl) many;* viel Glück! *good luck!*
viele *many*
vielfältig *varied*
vielleicht *maybe, perhaps*
vielseitig *varied;* vielseitige andere Aufgaben *a variety of other tasks*
die **Vielseitigkeit** *variety*
die **Vielzahl** *a great many, many; multitude*
die **Volkshochschule, -n** *adult education, continuing education*
voll *full*
vollautomatisch *fully automatic*
vollständig *complete*

von *from; of; by;* von . . . aus *from;* von Beruf *by profession;* von . . . zu *from . . . to*
vor *ago; in front of;* vor kurzem *recently;* vor über hundert Jahren *more than a hundred years ago;* vor vielen Jahren *many years ago*
die **Voraussetzung, -en** *prerequisite*
vorbehalten sein *to be reserved for*
vorbeikommen *to visit, call on; to stop by*
vorbereiten *to train, prepare for*
die **Vorbereitung, -en** *preparation*
die **Vorbildung** *training*
das **Vordringen** *advance*
der **Vorfall, ⸚e** *incident*
vorfinden *to find, come upon*
der **Vorgang, ⸚e** *transaction, movement*
vorhaben *to intend (to do), have in mind; to plan*
vorhanden sein *to be available, on hand*
das **Vorjahr, -e** *previous year, last year*
die **Vorkenntnisse (pl)** *basic knowledge*
vorlegen *to show, present a document*
vorlesen *to read to*
die **Vorlesung, -en** *lecture*
vorletzt- *next to last*
vorliegen *to be present, exist*
vormerken *to note*
der **Vormonat, -e** *preceding month*
der **Vorname, -n** *first name*
s. **vornehmen** *to make up one's mind; to intend to do, plan to do*
vorschlagen *to propose, suggest*
vorschreiben *to prescribe, specify*
die **Vorschrift, -en** *regulation; specification; rule, instruction*
der **Vorschuss, ⸚e** *(cash) advance*
vorstellen *to introduce (s.o.);* s. vorstellen *to imagine; to introduce o.s.*
die **Vorstellung, -en** *impression, idea; introduction*
das **Vorstellungsgespräch, -e** *personal interview*
der **Vorstellungstermin, -e** *appointment for a personal interview*
der **Vorteil, -e** *advantage*
vorteilhaft *advantageous*
vortragen: einen Wunsch vortragen *to express a wish*
vorwiegend *for the most part, mainly*
vorzeigen *to show, present*
vorziehen *to prefer*

W

waagrecht *horizontal*
wachsen *to increase, grow*
der **Wagen, -** *car (of a train); automobile*
wählen *to choose, select*
die **Wählscheibe, -n** *dial*
während *while, whereas; during*
wahrscheinlich *probably*
die **Währung, -en** *currency*
der **Walzenknopf, ⸚e** *knob to adjust line spacing on a typewriter*
wandern *to travel, move; to hike*
die **Wanderschuhe (pl)** *hiking boots*
wann *when*
die **Ware, -n** *goods, merchandise*
die **Warenauslieferung, -en** *merchandise delivery*
die **Warenbestellung:** zur Warenbestellung *for ordering merchandise*
die **Warenbezeichnung** *product labeling*
das **Warenhaus, ⸚er** *department store*
der **Warenversand** *shipping*
das **Warenzeichen, -** *trademark*
warten *to wait;* warten auf *to wait for*
warum *why*
was *what*
der **Waschbottich, -e** *washtub*
die **Wäsche** *clothes; wash, laundry*
wäschegerecht *suitable for the wash being done in the machine*
das **Wäschestück, -e** *piece of laundry*
die **Waschmaschine, -n** *washing machine*
das **Waschmittel, -** *detergent;* das Waschmittel einfüllen *to add detergent*
der **Waschsalon, -s** *laundromat*
waschtechnisch: waschtechnisch mildere Behandlung *use gentle cycle*
der **Wasserzulauf:** nach Beendung des Wasserzulaufs *after the washing machine has filled with water*
der **Wechselkurs, -e** *rate of exchange*
der **Weg, -e** *way*
wegdenken: ist nicht mehr wegzudenken *you wouldn't dream of being without it anymore*
wegen *on account of*
weggehen *to leave*
der **Wegweiser, -** *signpost, sign; directory*

weich soft; weich werden to get soft

das **Weihnachten** Christmas

die **Weihnachtsferien** (pl) Christmas vacation

das **Weihnachtsgeld** Christmas bonus

die **Weihnachtsgratifikation** Christmas bonus

weil because, since

der **Wein, -e** wine

das **Weinlokal, -e** wine restaurant, pub where people mainly go to drink wine

die **Weise, -n** manner, way, method; auf diese Weise in this manner; auf welche Weise? how?

weit far; weit mehr far more

weiter- further; weitere Berufe other professions; zwei weitere two more

weitergeben to transfer, pass on; einen Anruf weitergeben to transfer a call

weiterstudieren to continue one's studies

weitgehend for the most part

welch- which, which one

die **Welle, -n** wave; wavelength; 3-Wellen-Radio radio with three wavelengths

s. **wenden an** to turn to, contact

wenig few, little; ein wenig a little

weniger less

wenn when; if, in case; whenever

wer who, whoever

die **Werbeagentur, -en** advertising agency

die **Werbebroschüre, -n** advertising brochure

die **Werbung, -en** advertising, public relations

die **Werkzeugfabrik, -en** tool factory

der **Werkzeugmacher, -** toolmaker

der **Wert, -e** value; date payment cleared, value date; Wert legen auf to attach importance to

die **Wertpapiere** (pl) securities

wesentlich essential; substantial, considerable

das **Wetter** weather

Whg. = Wohnung apartment

Whng. = Wohnung apartment

wichtig important

die **Wichtigkeit** importance

wichtigst- most important, foremost

der **Widerruf, -e** cancellation

widerrufen to cancel

wie as, such as, like; how

wie viele how many

wieder again

die **Wiederanlage, -n** reinvestment

s. **wiederholen** to repeat (itself)

wiederkehren to recur

das **Wiedersehen: auf Wiedersehen sagen** to say good-bye

wieviel how much; how many

willkommen sein to be welcome

der **Winter, -** winter; in Winterzeiten during the winter, during the cold season

wirtschaften to manage (one's affairs)

wirtschaftlich economical, financial; economic

wissen to know; wissen von to know about

witzig funny, witty

wo where

woanders somewhere else

die **Woche, -n** week

der **Wochenendausflug, -̈e** weekend trip

die **Wochenendausgabe, -n** weekend edition (of a newspaper)

der **Wochenendheimfahrer, -** roomer or boarder who goes home on weekends

der **Wochentag, -e** weekday

wöchentlich weekly

s. **wohlfühlen** to be, feel comfortable, to feel good

wohnen to live; privat wohnen to have one's own place, rent a room or an apartment in a private house (not a dorm, etc.)

das **Wohnen: das moderne Wohnen** modern living

die **Wohngegend, -en** neighborhood

der **Wohnort, -e** place of residence; derzeitiger Wohnort current address

der **Wohnsitz, -e** residence; address

die **Wohnung, -en** apartment

die **Wolle** wool

wollen to want, desire

das **Wollsiegel, -** trademark for wool

der **Wortschatz** vocabulary

das **Wunder, -** wonder, miracle, marvel; kein Wunder no wonder, that's not surprising

s. **wundern über** to be surprised about, to wonder about

der **Wunsch, -̈e** wish, request

wünschen to wish

die **Wurst, -̈e** sausage

die **Wurst-Spezialabteilung, -en** special department for sausage and cold cuts

Z

die **Zahl, -en** number; in roten Zahlen stehen to be in the red

zahlen to pay; der zu zahlende Betrag the amount due

die **Zahlkarte, -n** postal money order

die **Zahlstelle, -n** payment window, cashier's office

der **Zahltag, -e** payday

die **Zahlung, -en** payment; in Zahlung nehmen to take as partial payment, to take as a trade-in

der **Zahlungsempfänger, -** payee

zahlungsfähig sein to be solvent, able to pay

der **Zahlungstermin, -e** payment date

der **Zahlungsverkehr** transaction (involving payment); bargeldloser Zahlungsverkehr payment by money transfer

das **Zählwerk, -e** number counter

die **Zahnarzthelferin, -nen** dental assistant (f)

zahnärztlich dental; zahnärztliche Praxis dental practice, dentist's office

die **Zahncreme, -s** toothpaste

z.B. = zum Beispiel for example

das **Zeichen, -** sign, signal, mark, logo; identification initials; Ihr Zeichen initials you use as a reference, your initials

der **Zeichner: der technische Zeichner** draftsman

s. **zeigen** to show; to turn out, become apparent

die **Zeile, -n** line

die **Zeit, -en** time; zur Zeit at the present time, currently

die **Zeitlang: eine Zeitlang** for a while, for some time; eine ganze Zeitlang quite a while, for a long time

die **Zeitschrift, -en** journal, magazine, periodical

der **Zeitschriftenhandel** magazine trade

die **Zeitübersicht** time schedule

die **Zeitung, -en** newspaper

der **Zeitungsausträger, -** newspaper deliverer

die **Zentrale, -n** central office, headquarters

das **Zentrum, -tren** center

die **Zentralheizung** central heating

das **Zeremoniell** ceremonial

das **Zertifikat, -e** certificate; das Zertifikat Deutsch (see fn p. 5) der **Zettel, -** *slip of paper; note*

das **Zeugnis, -se** *job reference; report card; transcript of grades*

ziehen *to move (to); durch den Kakao ziehen to poke fun at, pull s.o.'s leg; es zieht! there's a draft!*

das **Ziel, -e** *aim, objective, goal*

die **Zigarre, -n** *cigar*

das **Zimmer, -** *room*

die **Zimmersuche** *search for a room, place to live; auf Zimmersuche gehen to go room hunting*

die **Zinsen** (pl) *interest*

die **Zinseszinsen** (pl) *compound interest*

der **Zinssatz, ⸚e** *interest rate*

zu *for; to, too; closed; Fenster zu! close the window!; zu spät kommen to be late*

zuerst *first, at first, first of all*

zufällig *by chance; er ist zufällig im Büro he happens to be in the office*

zufrieden *satisfied, content*

zugehen: es geht sehr lustig zu *it's a lot of fun, it's very merry*

die **Zugehfrau, -en** *cleaning lady*

zugleich *at the same time*

zugrunde: zugrunde liegen *to be at the bottom of, to be the root of*

zuhören *to listen to*

zulassen *to permit*

zuletzt *last; bis zuletzt until the very last moment*

zumindest *at least*

zunehmend *increasing(ly)*

zurückbekommen *to get back*

zurückgeben *to return*

zurückgehen *to return, go back*

zurückgreifen auf *to refer to; to fall back on*

zurückkehren nach *to return to*

zurückkommen *to come back, return*

die **Zusage, -n** *acceptance; eine Zusage bekommen to be accepted*

zusammen *together; zusammen sein mit to be together with*

zusammenfassen *to summarize*

die **Zusammenfassung, -en** *summary*

s. **zusammensetzen** *to consist of; s. zusammensetzen aus to consist of*

zusammenstellen *to make up; to assemble, put together*

zusätzlich *additional(ly)*

die **Zuschneiderei** *cutting-out room (in a tailor's shop or clothing factory)*

die **Zuschrift, -en** *letter, inquiry*

der **Zuschuss, ⸚e** *supplement; contribution*

die **Zusendung, -en** *shipment, mailing; forwarded shipment*

zusichern *to guarantee*

der **Zustand, ⸚e** *condition*

der **Zustell-Dienst, -e** *delivery service*

zustellen *to send*

zutreffen *to apply, hold true*

das **Zutreffende: Zutreffendes ankreuzen** *if applicable mark with an x; Zutreffendes ausfüllen complete if applicable*

zuverlässig *reliable; trusted; dependable*

zwanzig *twenty*

zwar *indeed; und zwar that is, namely*

der **Zweck, -e** *purpose*

zwecks *for, for the purpose of*

zwei *two*

die **Zweigstelle, -n** *branch office*

zweit- *second*

zwischen *between*

das **Zypern** *Cyprus*

Stichwortverzeichnis

The following is a listing of the most important topics mentioned in the various chapters of this reader. The number that follows an entry refers to the chapter number.

A 4
B 5
C 6
D 7
E 8
F 9
G 0
H 1
I 2
J 3